GERTY COLIN

JEAN GABIN

CHAPITRE PREMIER

C'était un jour de 1929, au Moulin-Rouge, à l'époque un des trois grands music-halls de Paris. Depuis plusieurs années, l'illustre Mistinguett en assurait la codirection, engageant les acteurs, décidant des numéros et choisissant les costumes — autoritaire, despotique et charmeuse. Quinquagénaire, elle était à l'apogée de sa beauté, de son talent et de sa renommée. Son magnétisme sur le public était toujours intense.

Ce jour-là, c'était celui de la première répétition d'une nouvelle revue, et un monde fou se pressait dans la salle : trois troupes de danseuses, deux ensembles de boys, des musiciens, des techniciens, les grands rôles, les petits rôles, et naturellement la Miss qui arrivait toujours la première et qui trônait sur un fauteuil entourée de secrétaires et de courtisans, telle l'impératrice qu'elle était.

Dans cette foule, il y avait un petit jeune homme brun, qui avait de peu dépassé la vingtaine et croyait que son jour de gloire était arrivé : Miss l'avait engagé pour jouer du piano sur scène tout en chantant en duo avec elle. Il s'appelait Georges Tabet, était venu d'Alger à Paris pour faire de la musique et gagnait sa vie en dirigeant d'une baguette nerveuse l'orchestre du dancing du Mac-Mahon Palace, un hôtel chic proche de l'Etoile. Dans les années trente, il deviendrait très célèbre en créant avec Jacques Pills *Couchés dans le foin ;* de nos jours il compose toujours de la musique, collabore aux scénarios de films fameux et a écrit, pour notre plaisir, un volume de souvenirs délicieux : *Vivre deux fois.* C'est dans ce livre qu'il raconte cette journée historique.

Donc, se frayant un chemin dans la foule, il alla saluer la vedette, faraud et plein d'espoir. Elle se montra gentille et coopérative, ce qui le fit exulter. Un autre jeune homme s'amena alors et dit :

— Salut, Mick.

Il était blond, avec des yeux bleu clair ; il disait Mick et pas Miss comme tout le monde, ou Mist comme naguère Maurice Chevalier. Il avait un parler singulier, très imagé, à la fois argotique et poétique. Georges Tabet l'enviait, car il n'était pas comme lui quelqu'un qui allait débuter ce jour-là dans le music-hall : il jouait déjà dans la revue précédente, peut-être même dans celle d'avant. Mistinguett l'avait à la bonne ; elle appréciait son adresse et sa docilité. Dans *Paris qui tourne*, il avait participé à de nombreux tableaux, fait chalouper Miss dans la *Java de Doudoune* et chanté avec elle :

> *Marie, Marie*
> *Ça, c'est un' goss' de Paris*
> *Marie, Marie*
> *Comm' bell' mirett', toi t'es servie.*

Il avait commencé à trente francs par jour, mais ses gains augmentaient à chaque nouveau spectacle.

Tabet et lui se saluèrent, et c'est alors que le régisseur apparut sur la scène et demanda le silence. Celui-ci obtenu, il annonça que M. Foucret (le propriétaire et patron du Moulin) ne paierait pas la répétition puisqu'elle n'avait pas encore commencé. Il s'éclaircit la voix et continua :

— Il n'y aura pas d'autre répétition, et pas de revue. M. Foucret a vendu sa salle à la société Pathé-Natan. Elle sera désormais le Moulin-Rouge Cinéma.

— Oh ! le salaud ! dit la Miss.

Le mot, dont elle était peu coutumière, trahissait son indignation, et elle opina lorsque quelqu'un dit :

— Foucret aurait dû au moins avoir la délicatesse d'annoncer ça lui-même !

La colère et la consternation étaient peintes sur tous les visages et se traduisaient par des cris divers. Car les quelques phrases du régisseur annonçaient tout bonnement une catastrophe.

Depuis une trentaine d'années que le cinéma était inventé, il avait de plus en plus la faveur du public, concurrençant insidieusement le spectacle vivant de variétés, et bien des locaux de caf' conc' qui avaient naguère nourri leurs Mayol de barrière et leurs chanteurs comiques attitrés s'étaient convertis en salles obscures. Mais qu'il en fût de même pour un des trois music-halls parisiens fameux, c'était un événement bien plus impressionnant et plus inquiétant pour les professionnels du spectacle ; ils se sentaient amoindris, menacés.

Tabet rengaina ses rêves, se demandant tristement jusqu'à quand il devrait continuer à battre anonymement la mesure au Mac-Mahon Palace. Le garçon blond lui dit :

— C'est moche, non ?

Pas plus. Il n'avait pas seulement une façon propre d'utiliser les mots, comme s'il les employait pour déguiser sa vérité profonde, mais il était souvent taiseux, son regard bleu perdu dans un rêve, ses lèvres minces serrées sur le secret. A quoi pensait-il ? Sans doute à ce foutu cinoche qui le faisait chômeur, au temps qui passait sans combler ses espérances, à sa carrière qu'il n'avait pas vraiment choisie...

Il ne savait pas que le sort ironique allait bientôt lui donner sa revanche et que le cinoche qui l'assassinait ce jour-là lui vaudrait sa gloire.

Car ce garçon blond aux yeux clairs et aux lèvres minces, c'était Jean Gabin.

Il était né le 17 mai 1904, d'un père et d'une mère tous deux Parisiens d'origine alsacienne et tous deux artisans en rupture d'artisanat. Sa mère s'appelait Hélène Petit, elle avait été plumassière, un bien joli métier, vu de loin. Elle avait débuté fort jeune dans un atelier de la rue du Sentier. Comme beaucoup d'ouvrières, elle chantait tout en s'activant de ses mains, mais elle chantait mieux que les autres et elle avait tenté sa chance, quittant l'atelier pour faire de sa voix son gagne-pain. Dans une

9

kermesse où elle se produisait, elle avait rencontré Georges Moncorgé, dont l'histoire était un peu semblable à la sienne : fils d'un paveur de la ville de Paris qui lui avait fait apprendre le métier de charron, il avait quitté sa famille à l'âge de dix-huit ans pour devenir artiste, sous le pseudonyme de Gabin. S'étant trouvé par hasard dans le même programme qu'Hélène Petit, ils établirent rapidement leur propre programme, qui était de vivre ensemble. Cela se termina par un mariage... après qu'ils eurent eu un certain nombre d'enfants, dont quatre parvinrent à l'âge adulte et dont le petit dernier, inscrit à l'état civil sous le nom de Jean-Alexis Moncorgé, devint infiniment plus connu par la suite sous celui de Jean Gabin.

Il vit le jour à Paris, au 23 du boulevard Rochechouart, mais passa son enfance à Mériel, village de l'arrondissement de Pontoise, à dix kilomètres du chef-lieu. Six ou sept cents habitants. Le plâtre, la pierre, le grès pour industries. Comme buts de promenades, les restes de l'abbaye du Val, à deux kilomètres du bourg, ou les bords de l'Oise qui l'arrosait. Deux lignes de chemin de fer le desservaient, celle du Nord et celle de l'Ouest. La forêt de l'Isle-Adam était toute proche.

Le petit garçon s'éveilla au monde dans ce microcosme, plus exactement dans une grande maison flanquée d'un vaste jardin dont son père s'était rendu propriétaire. Le jardin était bordé d'un côté par la voie ferrée ; les trains qui y passaient — la plupart ne s'arrêtaient pas — avaient de fabuleuses locomotives rugissantes, fumantes et rougeoyantes. Au-delà, c'était la campagne à la terre riche, grasse et odorante, et la forêt.

A mesure qu'il grandissait, le benjamin des Moncorgé s'affirmait comme un caractère peu facile à gouverner. Sa mère était morte alors qu'il était encore bien jeune ; et c'est Madeleine, une grande sœur de seize ans son aînée, qui s'occupait de lui. Elle avait épousé un boxeur, Poesy, que le gosse aimait bien parce qu'il l'emmenait à la chasse.

Georges Moncorgé, alias Gabin, le beau Gabin pour ses admiratrices, était un homme aimable, ouvert et souriant, mais qui paraissait bien bizarre à son fils, parce qu'il passait son temps à apprendre des choses par cœur. C'était une drôle d'occupation pour un adulte qui n'y était pas contraint par un maître d'école. L'enfant ne comprenait pas. La première fois qu'on l'avait mené en classe, il avait tant hurlé et pleuré qu'il avait fallu le ramener chez lui ; ça ne s'était pas très bien arrangé les jours suivants ; c'est pourquoi il lui paraissait complètement dingue qu'un adulte — une grande personne de sa propre famille ! — apprît des leçons sans y être obligé par des sévices divers et de sévères remontrances. Son père lui dit que c'est pour son métier qu'il agissait ainsi ; alors il se demanda pourquoi son père avait choisi un métier aussi difficile ; quand il sut que c'était par goût, et contre l'avis de sa famille, il garda ses pensées pour lui et se jura de ne jamais faire ce métier-là.

Lui, ce qu'il aimait, c'était se promener dans la nature, observer les oiseaux, chercher leurs nids dans les branches, jouer avec les animaux. Chaque fois que c'était possible, il faisait l'école buissonnière, courait la campagne et rentrait le soir en piteux état, vêtements déchirés, genoux couronnés. Tant pis s'il se faisait tancer par Madeleine : c'était tellement plus chouette que d'ingurgiter des fables ou la règle de trois. Ce qui était chouette aussi, c'était de regarder passer les trains, entrevoir dans le fracas de la vitesse et les jets de vapeur les hommes qui maîtrisaient l'animal d'acier — et envier leur puissance.

Plus tard, si on l'interrogeait sur cette enfance campagnarde, Jean Gabin affirmait qu'il n'avait pas été malheureux : il n'avait pas froid l'hiver, et bien qu'il eût un appétit énorme, il mangeait à sa faim. Le train de maison était rustique et sans opulence, mais le nécessaire ne manquait pas. D'accord, va pour la matérielle, mais les chagrins de cœur ? Il n'était pas homme à gloser sur ces chagrins-là mais n'avait-il pas eu son lot de souffrances ? Lorsqu'il se plaignait d'avoir été un « enfant de vieux », n'est-ce pas à sa mère qu'il pensait ? Il l'avait à peine connue et d'ailleurs, dans ses dernières années, elle n'était plus une brillante artiste : elle avait perdu sa voix à la suite d'une maladie, sa santé n'était pas parfaite et elle se sentait exilée à Mériel, alors que le beau Gabin poursuivait avec succès sa carrière. Et le beau Gabin lui-même ? Père affectueux, certes, mais trop occupé de son métier et trop souvent absent. Restait Madeleine, dévouée, mais sans doute un peu jeune pour exercer une autorité efficace sur un contestataire en herbe de sa sorte...

Quoi qu'il en soit, gaie ou pas, plus ou moins heureuse, cette existence se trouva brutalement stoppée lorsque Jean eut dix ans. Comptez vous-mêmes : né en 1904, ses dix ans l'amenèrent en 1914. La guerre commença, et commença mal pour les poilus français. Surpris par l'invasion de la Belgique, sévèrement défaits à Charleroi, ils furent obligés à la retraite et, dans les premiers jours de septembre, le front se trouva à moins de cinquante kilomètres de Mériel. Les habitants du bourg en furent quittes pour s'épouvanter du fracas des canons, du ciel empourpré et du défilé pathétique des populations qui cherchaient un refuge loin du champ des combats. Le 6, commença la bataille de la Marne qui arrêterait l'avance allemande. Mais Georges Moncorgé avait déjà décidé le repli de sa famille sur Paris.

Il s'installa rue Custine, au rez-de-chaussée d'un immeuble qui faisait l'angle de la rue de Clignancourt. Pour aller à l'école, c'était simple, le fiston Jean n'avait qu'à enjamber la fenêtre de la rue de Clignancourt et traverser cette rue. Mais ce n'était pas une raison suffisante pour que les études l'enchantent davantage qu'à Mériel. De même, le fait que Louis Barthou, politicien fort connu qui avait été président du Conseil en 1913, eût appris les rudiments de son savoir dans cette école-là ne l'impressionna pas. Son horreur des contraintes, une méfiance instinctive de l'inconnu le rendaient souvent agressif. C'était une force de la nature, assure son condisciple d'alors, Marcel Bleustein-Blanchet, qui avoue avoir reçu de lui quelques raclées. Ça ne les empêchait pas d'être de vrais bons copains et de former avec Maurice Gross, cousin du petit Marcel et futur propriétaire des Galeries Barbès, un trio de poulbots qui s'en donnaient à cœur joie dans le maquis qu'était alors la colline de Montmartre.

Maurice Gross, Jean Gabin lui voua une sérieuse reconnaissance, qu'il évoquait plus tard avec un brin d'ironie amusée, parce que, s'il décrocha son certificat d'études malgré son peu d'assiduité à apprendre, c'est qu'il put lire ses compositions par-dessus l'épaule de ce camarade et les copier sans vergogne.

Le certif', encore alors, c'était la fin de l'enfance. Le

beau Gabin aurait bien aimé que son fils suive ses traces et embrasse le même métier que lui. Sourd et aveugle aux réticences de son garçon, il l'emmenait avec lui au théâtre, dans sa loge, dans les coulisses, dans les bistrots d'artistes, espérant lui faire partager son enthousiasme pour la vie qu'on y menait. Heureux de son sort, il était le « compère » des revues de la Cigale, établissement fameux du boulevard Rochechouart, où il resterait dix-sept ans, et jouait souvent au Palais-Royal.

Jean demeurait de glace : apprendre patiemment des rôles continuait d'être pour lui l'horreur pure. Voulant frapper un grand coup, son optimiste de père l'emmena à Marseille où il était engagé dans une pièce intitulée *La Petite Reine*. La pièce comportant un rôle d'adolescent, le finaud s'arrangea pour que son fils le jouât et touchât cent francs — somme rondelette — pour sa prestation. Peine perdue ! Dans le même temps, en France et ailleurs, combien y avait-il de jeunes gens, de jeunes filles qui suppliaient leurs parents de leur laisser faire du théâtre au lieu de reprendre un commerce ou d'apprendre un métier respectable ? Des tas, assurément. Et cette tête de lard de Jean-Alexis Moncorgé, c'était tout le contraire. Son père faisait tout pour qu'il devînt artiste, et il disait : « Non ! »

En désespoir de cause, il y eut une sorte de conseil de famille chez le grand-père paveur, qui cultivait son jardin à Boulogne près du champ de courses d'Auteuil. Le vieil homme, puisqu'il avait en son temps montré la porte à son rejeton qui ne voulait pas être charron, dut éprouver sympathie et admiration pour ce petit-fils énergique qui se refusait à faire le saltimbanque. A l'issue de conciliabule, Jean-Alexis entra comme interne à Janson-de-Sailly. Il avait obtenu une bourse. Il y resta deux ou trois mois puis fut renvoyé, ce qui n'étonna et n'étonnera personne sachant quel piètre écolier il avait été. Il avait alors quinze ans.

Alors, il quitta le domicile paternel et alla s'installer chez sa tante Louise, une sœur de sa mère, et décida de travailler à son idée. Ça dura quatre ans, pendant lesquels il fut successivement grouillot à la Compagnie parisienne d'électricité, aide-cimentier à la gare de la Chapelle, manœuvre aux Forges et Aciéries de Montataire, magasinier aux Magasins généraux automobiles des régions libérées à Drancy. Pas vraiment de quoi pavoiser !

A la fin, son père vint le trouver.

— Tu gagnes combien, ces derniers temps ?

— Soixante-douze francs par semaine.

— Ce n'est pas brillant. J'ai un copain qui tient un garage, place Péreire. Je peux t'y emmener et te présenter...

— Soit, dit le jeune homme.

Car c'était un jeune homme maintenant, Jean-Alexis Moncorgé. Il avait dix-neuf ans. Un beau gosse. Quand il allait dans une guinguette, le dimanche, les filles lui faisaient incontestablement de l'œil ; et elles se pâmaient lorsqu'il les faisait valser à l'envers. Il valsait très bien, aussi bien à l'envers qu'à l'endroit.

Il suivit donc son père et celui-ci, toujours finaud, l'emmena aux Folies-Bergère, où il avait des relations. Avant que le rebelle fût revenu de sa surprise, l'administrateur l'avait engagé. A six cents francs par mois, plus du double que ce qu'il se faisait comme magasinier.

— Soit ! dit-il encore.

Le comique Bach, qui jouait dans la revue, s'engagea à guider ses premiers pas. C'était un autre ami du beau Gabin. Sa protection n'était pas superflue. Le jeune homme ne savait rien faire et l'idée d'apprendre des textes par cœur le révulsait toujours autant. Dieu merci ! on ne lui en demandait pas tant. Figurer dans tous les tableaux ou presque, entrer en scène, en sortir, changer en hâte de costume et recommencer, c'était ça le travail. Ce n'était pas désagréable. Il appelait ça « faire les becs de gaz » ; il se disait que le boulot n'était pas trop dur, qu'il était mieux payé qu'à l'usine et que les femmes nues étaient plus agréables à regarder que les bobines de ses copains de chantier. Nonobstant quoi, il réussit à se faire mettre à la porte, s'étant inopportunément cassé la figure en scène.

Mais il enchaîna avec une revue de Rip au Vaudeville dans laquelle il fut soldat égyptien, contrôleur de wagons-lits, clochard assoiffé, et pour finir pirate. Quand cette revue fut terminée, son père lui trouva une figuration aux Bouffes-Parisiens où *Là-haut*, dans lequel il avait le troisième rôle après Maurice Chevalier et Dranem, achevait sa carrière.

14

La pièce à venir s'appelait *La Dame en décolleté*. C'était une comédie musicale dans le genre que *Phi-Phi* et *Dédé* avaient mis à la mode. L'intrigue, mince, servait de prétexte à de jolies chansons de Maurice Yvain, à un superbe décor — le casino de Deauville — et à la mise en valeur du talent de Dranem. Elle débuta le 23 décembre 1923. Dans le programme, on pouvait lire :

Le barman : Jean Gabin.

Quand il s'était agi de prendre un nom de théâtre, le jeune homme avait dit à son père, qui s'était toujours appelé Gabin, sans prénom, comme Dranem ou Bach :

— Moi, je serai Gabin junior. Ça te va ?

— Gabin junior ! Quand tu auras soixante ans, tu auras bonne mine avec un nom de boy-scout !

Le junior n'avait pas fait de commentaires, mais *in petto*, il n'était rien moins sûr que d'être encore sur les planches à soixante ans ! Il n'était pas convaincu d'avoir choisi son métier pour la vie, loin de là. Il le ferait jusqu'à son service militaire qui était pour bientôt, et après on verrait. Mais enfin, pour ne pas contrarier le senior, il suggéra Jean Gabin et fut approuvé. Voilà. Il ne savait pas que c'était son nom pour le reste de ses jours.

Sa création dans *La Dame en décolleté* ne bouleversa pas la critique, on s'en doute. Elle attira cependant l'attention de quelqu'un, ce qui n'alla pas sans conséquences.

Un soir, deux jeunes filles louèrent des places dans une loge d'avant-scène pour voir le spectacle. L'une d'elles, une petite brunette d'une vingtaine d'années coiffée à la japonaise (frange sur le front, cheveux courts derrière et pas d'autres frisettes qu'une amorce de guiche sur chaque joue), ne vit littéralement pas Dranem et les jolies filles qui l'entouraient, n'ayant d'yeux que pour le barman muet qui se tenait derrière le comptoir. Qu'est-ce qu'il était beau, l'animal ! Le rideau tombé, les deux amies allèrent dans les coulisses, car la brunette voulait le voir de plus près.

Elle le vit et reçut le choc de sa vie.

— Vous, vous étiez dans la loge d'avant-scène, dit-il.

— Vous m'avez vue ?

— Je ne voyais que vous.

— Ça alors, c'est comme moi. dit la jeune fille.

15

Elle s'appelait Gaby Basset. Elle avait déjà dansé dans une revue de la Cigale. Sa mère était une couturière, veuve de bonne heure, qui avait beaucoup tiré l'aiguille pour élever convenablement ses quatre enfants. Lorsque Gaby avait obtenu son certificat d'études, elle l'avait mise en apprentissage pour qu'elle devînt couturière à son tour. L'adolescente était rieuse et pleine de vie. Ses compagnes d'atelier aimaient beaucoup la faire chanter et elle cédait avec plaisir à leurs instances. Un jour que, montée sur une table et coiffée d'un chapeau rigolo, elle exécutait, avec mimique et gestes appropriés, *Je cherche après Titine*, la première entra, courroucée.

— Ma parole, mademoiselle, on dirait que vous aimez mieux faire le clown que de travailler !

— C'te question ! Bien sûr que j'aime mieux.

— Voyez-vous ça ! Dans ces conditions, insolente, je vous prierai d'aller le faire hors de cette maison.

Ainsi la couture perdit-elle une petite main et le spectacle gagna-t-il une fantaisiste qui ferait une longue et belle carrière. Renvoyée de l'atelier, désœuvrée, elle se mit à accompagner à ses répétitions une copine qui faisait partie du corps de ballet de la Cigale, tant et si bien qu'elle devint une figure familière dans ce caf' conc'. Une fille étant tombée malade, elle se proposa pour la remplacer et réussit à faire la farce. Le soir de la première, hélas, elle s'embrouilla dans le troisième ballet, trébucha, ne retrouva pas sa place et, de désespoir lâcha un « Merde ! » retentissant. La danse finie, elle alla, en larmes, faire ses excuses au régisseur et lui rendre son tablier.

— En voilà une histoire ! dit l'homme. Tu as raflé tout le succès, tu les as fait rire. Garde ta démission pour une autre occasion, et recommence-moi ça tous les soirs, tu m'entends.

Ainsi non seulement elle n'avait pas perdu sa place, mais il lui était venu dans l'idée qu'il y avait peut-être de la graine d'actrice en elle. Un jour, qui sait ? Et elle continuait, vaille que vaille, glanant des cachets là où elle pouvait.

Telle était la personne pour qui Jean Gabin avait eu le coup de foudre et qui avait eu le coup de foudre pour lui. Beau comme il était, le jeune homme ne manquait pas de filles, mais c'était la première fois qu'il s'éprenait, qu'il avait envie de vivre avec une personne du sexe opposé. Avec elle, il se sentait gai, détendu, sans problèmes. Il la présenta à son père qui avalisa tout à fait son choix. Comment n'aurait-il pas aimé cette gosse pétulante qui, comme lui et comme sa défunte Hélène, avait choisi le métier des planches dans l'espérance et l'enthousiasme ?

Les tourtereaux prirent une chambre dans un hôtel de la rue de Clignancourt, pas loin de chez lui. Ils étaient pauvres, merveilleusement pauvres comme on l'est à vingt ans, quand on ne croit ni à la mort, ni à la vieillesse, ni à l'éventuelle méchanceté du lendemain. Leur chambre était sans confort, l'eau et les commodités sur le palier, mais c'était une belle chambre puisqu'elle abritait leurs amours. Ils se nourrissaient d'œufs durs et avaient un truc pour ne prendre qu'un café crème pour deux : elle buvait presque tout le café noir et lui le lait, teinté par le fond de café. Mais, de temps à autre, ils faisaient un repas à tout casser, lorsque le père ou tante Louise les invitaient, ou bien les jours où, touchant leurs cachets de la semaine, ils se payaient le restaurant. Alors, on pouvait admirer l'extraordinaire appétit de Jean, qui aimait les nourritures solides, la daube ou son favori, le pot-au-feu, qu'il appelait le « poulet à cornes ».

Le service militaire vint changer le cours de cette belle idylle mais il n'y mit pas fin. En vérité, l'éloignement les rapprocha encore. Jean écrivait à sa chérie, il accourait à chaque permission. Gaby, qu'il appelait Pépette ou Toutou, avec sa façon à lui de camoufler les êtres et les sentiments, était néanmoins étreinte par la jalousie. Elle imaginait toutes les jeunes Lorientaises convoitant son gars, et elle alla jusqu'à piquer de longues épingles dans le pompon rouge de son béret afin de décourager les demoiselles qui avaient coutume de passer la main sur cet ornement pour se porter bonheur, à ce qu'elles prétendaient... mais on sait ce qu'il en est !

Tant et si bien qu'ils se marièrent, au début de l'an 1925. Mme Basset, hostile à cette union, refusa sa bénédiction et sa présence, mais le beau Gabin, ravi, offrit les alliances et le repas traditionnel dans un bistrot proche de la gare du Nord. Sept convives réjouis, un beau gigot, du bon vin.

L'avenir serait ce qu'il serait, mais qui se soucie de l'avenir devant un bon repas, surtout s'il est celui des noces de deux jeunes gens épris et rayonnant de bonheur ?

CHAPITRE II

Quand Jean Gabin en eut terminé avec son service militaire, il était toujours aussi épris de sa jeune épouse. Jolie, mince et bien faite, de cette race de Parisiennes qu'un rien habille et qu'un rien fait rire, Gaby Basset avait conquis non seulement son mari mais aussi son beau-père, qui la prit sous sa protection tout le temps qu'elle fut femme de soldat et encore après. Chaque fois que leur travail et la saison le permettaient, il l'emmenait à Mériel, et, lorsque le marin arrivait en permission, s'annonçant de loin par un sifflement familier, les retrouvailles étaient une fête.

Tout à ce bonheur simple et idyllique, Jean, revenu à la vie civile, ne remit pas en question le métier qu'on avait choisi pour lui. Il reprit avec Gaby une modeste chambre d'hôtel, et l'un comme l'autre se mirent en quête de travail. Papa Gabin était à même de les aider. Depuis plus de dix ans, il partageait ses activités entre le Palais-Royal, les Bouffes-Parisiens et le Daunou, trois salles appartenant à un homme qui avait un sens très averti du théâtre de boulevard et s'appelait Quinson. Quinson travaillait quasiment toujours avec les mêmes auteurs, les mêmes compositeurs et les mêmes inter-

19

prètes, les premiers taillant des intrigues et des rôles sur mesure pour les derniers, qui avaient nom, entre autres, Dranem, Boucot, André Luguet et le beau Gabin. Dans ce milieu ce dernier avait donc une certaine influence et lorsque, en 1925, il apprit qu'Yves Mirande écrivait le livret d'une opérette intitulée *Trois Jeunes Filles nues*, il présenta ses tourtereaux au metteur en scène, M. Roze. Les lyrics étaient d'Albert Willemetz et la musique de Raoul Moretti. La pièce comportait des rôles de marins : le père, de par les privilèges de l'ancienneté, de l'âge et du talent, fut tout naturellement commandant, et Jean officier de moindre rang tant par le grade que par l'importance au programme. Quant à Gaby, elle fut la femme au homard ; elle se promenait avec un homard dans les bras, et l'attachement qu'elle manifestait à ce crustacé, occasion de scènes et de refrains cocasses, lui valut un succès prometteur. La pièce dura dix-huit mois, un excellent score pour l'époque, et le père Gabin se frottait les mains en se disant que sa bru était bien partie pour aller loin. Il avait beaucoup moins de confiance, hélas, en l'avenir de son fils.

Celui-ci, cependant, s'était composé un tour de chant qu'il produisait après le spectacle dans des cabarets ou des cafés-concerts de la périphérie. Ça mettait un peu de beurre dans les épinards, mais, sur le moment, ça n'eut pas d'autres conséquences : dans l'ignorance de son propre personnage, Jean Gabin ne se démarquait pas de ses confrères ; il imitait Maurice Chevalier. Pour un gars de son âge, c'était fatal. Aux yeux des débutants, Maurice était un phare fascinant, un exemple merveilleux, mais aussi un monument bien encombrant. Il était alors la vedette du Casino de Paris et venait de créer *Valentine*. Il était si populaire, si épatant, si débordant de personnalité qu'il faisait de l'ombre aux garçons plus jeunes, lesquels, n'entrevoyant pas comment faire mieux que lui, se résignaient à faire comme lui et si possible aussi bien. Jean Gabin avait d'ailleurs quelques raisons d'agir ainsi : ses origines s'apparentaient à celles de Maurice, de même que sa dégaine, ses cheveux et ses yeux clairs, son parler faubourien.

Seulement, il ne possédait pas ce qu'il appela plus tard lui-même le côté « soleil » de Maurice Chevalier, ce visage qui se transfigurait dès l'entrée en scène, offert au public

20

et voulant passionnément lui injecter de l'optimisme. Ses lèvres à lui, minces et serrées, auraient dû l'avertir qu'il n'était pas et ne serait jamais Maurice Chevalier, autre chose peut-être mais pas Maurice.

Quand *Trois Jeunes filles nues* quitta l'affiche des Bouffes-Parisiens, Gaby et lui furent engagés dans une tournée qui promena en Amérique du Sud les opérettes à succès des dernières années. Ils n'en revinrent ni plus glorieux ni plus riches, mais ils avaient vu du pays et étaient toujours très amoureux l'un de l'autre.

C'est au retour de ce voyage que Jean alla auditionner au Moulin-Rouge. Etant donné ce qu'on vient de dire, c'était une idée épatante. Mistinguett, alors directrice artistique du célèbre music-hall, avait depuis la fin de sa liaison avec Maurice Chevalier une attitude ambiguë en matière de partenaires : elle aimait qu'ils ressemblassent à l'amant perdu et regretté, mais ne voulait pour rien au monde qu'ils eussent son génie — génie qui avait égalé le sien et causé pour cela leur rupture. Beaucoup plus tard, dans ses souvenirs, elle s'en expliquerait avec simplicité : *J'avais besoin d'avoir son image auprès de moi, d'entendre parler comme lui, de savoir que le public se disait : « Il n'est pas mal cet imitateur, on dirait Chevalier. »* Elle écrirait aussi, toujours de ses partenaires : *Ils m'appartenaient.* Et encore : *Un qui n'aurait pas été malléable, il n'avait qu'à se cavaler, se barrer, je ne voulais plus en entendre parler.*

Il paraît que le candidat lui chanta *Valentine*. Elle l'engagea tout de suite ; il répondait à ses critères : il évoquait suffisamment Chevalier mais — c'était une évidence pour une fine mouche de sa sorte — il ne lui ravirait jamais la vedette. De plus, il était docile.

Ainsi Gabin entra-t-il au Moulin-Rouge, gravissant un échelon de sa carrière. Il ne jouait plus les becs de gaz comme au Casino de Paris ; il chantait, dansait, interprétait des sketches. Il avait à apprendre des tas de choses par cœur, et voilà qu'il se retrouvait sur les mêmes rails que son père, imitant ses efforts de jadis tant raillés. Sûr que l'amour y avait été pour quelque chose et que, s'il n'avait pas balancé à reprendre son métier au retour du service militaire, la tendre influence de Gaby et de son père en était grandement responsable. Mais, maintenant, les dés avaient l'air jetés. Il fallait continuer. Bien. Pas comme une cloche. Il s'était fixé une nouvelle limite, celle de ses vingt-cinq ans, pour faire un nouveau bond, et le music-hall était un bon tremplin, à condition d'y devenir une vedette ou bien d'en sortir.

Il en sortit par force, comme on sait, lorsque Foucret vendit le Moulin-Rouge à Pathé-Natan pour en faire une salle de cinéma. Désastre apparent, ce fut pour lui la chance d'échapper à un genre de spectacle pour lequel il n'était pas fait, ainsi qu'à l'emprise de Mistinguett. Les Bouffes-Parisiens le récupérèrent et lui donnèrent un rôle de jeune premier comique dans une opérette de Gerbidon, *Flossie*. Albert Willemetz avait remplacé Quinson à la direction, mais la même ambiance familiale régnait toujours. La première de *Flossie* eut lieu le 9 mai 1929, huit jours avant le vingt-cinquième anniversaire fatidique, la critique fut aimable pour le jeune acteur, tout allait bien.

Gaby Basset, pendant ce temps, ne piétinait pas. Après la tournée d'Amérique du Sud, elle n'était plus remontée sur les mêmes scènes que son mari, mais sa carrière suivait un joli cours d'artiste fantaisiste. Elle chantait dans les cabarets, jouait la comédie ou l'opérette et, cependant que Jean jouait *Flossie*, elle remporta un vif succès dans *Débauche* de Jacques Deval à la Comédie-Caumartin... Tant et si bien que le cinéma eut l'attention attirée par ce pétulant petit bout de femme. La firme Pathé-Natan lui fit faire un bout d'essai et la prit sous contrat pour trois ans.

Aux Bouffes-Parisiens, *Arsène Lupin banquier*, opérette d'Yves Mirande, Albert Willemetz et Marcel Lattès, avait succédé à *Flossie*. Aux côtés de son père et de Meg Lemonnier, Jean y faisait un rôle de transformations qui fut très remarqué... Tant et si bien que le cinéma eut l'attention attirée par ce beau jeune homme qui chantait, dansait et ne jouait pas mal la comédie. Un agent de la *UFA*, puissante firme allemande, lui proposa le rôle principal d'une production qu'elle se proposait de tourner en double version, *Le Chemin du paradis*. Il le refusa, et c'est un autre garçon de son âge, Henri Garat, qui avait suivi une filière analogue à la sienne, qui conquit dans ce rôle ses galons de vedette. Mais il écouta d'une oreille plus favorable les propositions de Pathé-Natan, tourna le traditionnel bout d'essai et fut engagé pour trois ans, comme Gaby. Ainsi firent-ils ensemble leur premier film, *Chacun sa chance*.

Du cinéma, le jeune homme avait une toute petite expérience. Encore du temps du Moulin-Rouge, un cinéaste avait mis sur pellicule deux sketches qu'il jouait dans la revue *Allô, ici Paris* avec un homme d'un comique irrésistible, le clown Dandy. Comme cela se passait juste avant que le cinéma cessât d'être silencieux, la bande avait été sonorisée par la suite. Maintenant, il s'agissait de bien autre chose : un long métrage d'une heure un quart, un rôle important de jeune premier comique, tel que ceux qui avaient révélé ses dons au théâtre. Le public adorait ce genre d'œuvres, il en réclamait, il en redemandait. On était en 1930 et le cinéma se débattait encore avec les problèmes tant commerciaux qu'artistiques posés par le parlant. L'opérette, si elle ne résolvait pas tous ces problèmes, plaisait à une vaste audience par l'irréalisme bénin de ses chansons et de ses ballets.

Pour les besoins du scénario, Gaby était marchande de bonbons dans un cinéma, et Jean vendeur dans un magasin de modes pour hommes. Une suite de péripéties vaudevillesques amenait Jean, vêtu d'un bel habit noir, à faire la conquête de Gaby et à l'épouser, tout ça en chantant et en dansant. Le film existe encore ; il nous montre un couple amoureux et joyeux, un Jean qui rit. Quoi qu'il ait pu être sur le plan artistique, il est émouvant parce qu'il fixe l'image d'un bonheur ingénu qui avait existé mais était à la veille de se défaire et l'image d'un acteur léger qui aurait bientôt une tout autre image de marque. Les choses sont-elles liées ? Peut-être. Peut-être était-il fatal que Jean Gabin s'éloignât de la primesautière Gaby lorsqu'il deviendrait un comédien dramatique — et fatal qu'en s'éloignant de la femme qui lui avait donné un amour sans calcul et sans complications, il devînt plus mélancolique, plus désabusé.

Dès ce moment, on peut pressentir ce qu'aura de curieux la vie de Gabin : plus sa carrière, l'argent, le succès le comblent apparemment, plus il semble perdre sa gaieté, sa propension au bonheur, sa confiance dans les êtres. Peut-être avait-il conscience que, malgré tout ce qui lui souriait, il avait été floué, roulé par le destin en devenant acteur malgré lui.

Mais ce n'était pas si simple évidemment : le flouage

avait toutes les apparences — et la vérité — de la réussite ; et il eût été insensé, stupide et impossible de revenir en arrière. Alors, quoi faire d'autre que de s'appliquer à progresser, car à tant faire qu'être acteur, ne vaut-il pas mieux en être un grand, tout en entretenant de vagues espérances pour un hypothétique avenir ?

Après *Chacun sa chance*, il tourna dans un cinéroman, *Méphisto*. Les cinéromans — qu'on appelait serials en Amérique — avaient fait fureur du temps du muet, et il se trouvait toujours des gens, comme Sapène, directeur du journal *Le Matin*, pour croire en leur avenir. *Méphisto* était tiré d'un feuilleton d'Arthur Bernède publié par *Le Petit Parisien*. Il fut réalisé en quatre épisodes. Gabin y était l'inspecteur de police Miral, incarnation du Bien, en costume sombre, cheveux gominés, l'air sérieux.

Paris-Béguin sortit l'année suivante. Jane Marnac y jouait le rôle d'une vedette de music-hall, ce qu'elle était réellement dans la vie. Saturnin Fabre était son riche protecteur, et Fernandel, dont c'étaient les débuts à l'écran, un minable voyou complice d'un meurtre. Jean Gabin, quant à lui, était un cambrioleur au cœur tendre qui ne résistait pas au charme de la vedette chez qui il s'était introduit pour lui dérober ses bijoux. Après une nuit d'amour venaient le drame, la jalousie, de sombres intrigues et la mort violente du jeune voleur.

Il fit quatre autres films cette année-là. Dans *Tout ça ne vaut pas l'amour*, il était un petit bourgeois qui charme et épouse une jeune fille ; dans *Cœur de lilas*, un garçon louche et antipathique ; dans *Pour un soir*, un quartier-maître si passionnément épris d'une chanteuse volage qu'il finit par se donner la mort ; dans *Cœurs joyeux*, un opérateur de cinéma mêlé à une intrigue policière. Films inégaux, plutôt médiocres, mais dans lesquels il se fit personnellement remarquer par la critique et les gens du métier, et où commençait à se dégager sa stature tragico-romantique.

En 1932, il continua sur cette lancée. Il commença avec une production franco-allemande, *Gloria*, dont la vedette était une star célèbre, Brigitte Helm, et où son rôle à lui était celui, secondaire, du mécano d'un aviateur. Mais ce mécano sensible et gouailleur était éton-

24

nant de naturel et de vérité — ce fut du moins l'avis d'un jeune rédacteur de *Cinémagazine*, qui l'écrivit à peu près en ces termes et se nommait Marcel Carné. Ensuite, il y eut *Les Gaîtés de l'escadron*, avec Raimu et Fernandel ; puis *La Belle Marinière*.

La Belle Marinière, Jean Gabin le tourna pour la Paramount, à la suite d'un concours de circonstances qui n'étaient pas sans rapport avec sa vie privée.

Depuis quelque temps, le jeune acteur s'était épris d'une femme. De plus en plus, son métier le séparait de Gaby Basset. Celle-ci ne cessait pas de travailler — au théâtre et dans les cabarets, notamment celui de Lucienne Boyer — mais leurs activités respectives n'avaient plus réuni les époux depuis *Chacun sa chance* pour le plus grand dommage de leur vie conjugale. Georges Moncorgé, le beau Gabin des Bouffes-Parisiens et du Daunou, était mort d'une crise cardiaque — et cela aussi avait marqué la fin d'une époque riche d'espérances et de petits bonheurs.

La jeune femme s'appelait Jeanne Mauchain, mais tout Paris la connaissait sous le nom de Doryane. Elle était une des quatre beautés nues du Casino de Paris. Très belle, comme son emploi le suppose, intelligente et nantie d'une forte personnalité, ayant eu — comme Jane Marnac dans *Paris-Béguin* — des riches protecteurs qui l'avaient comblée d'argent et de bijoux, c'était le genre de femmes qu'on voyait à l'époque à Deauville ou au bois de Boulogne dans les concours d'élégance au volant de merveilleuses torpédos — et propres à séduire un jeune homme sur qui sa carrière ascendante attire tous les regards et plus particulièrement les regards féminins. On ne devient pas impunément acteur, même à corps défendant, sans se sentir sommé de plaire, de séduire. Et c'était la pente naturelle d'un beau garçon de même pas trente ans d'aimer les femmes et de désirer se faire aimer d'elles. L'éclat de Doryane fascina assurément celui-là qui commençait d'émerger dans le monde du spectacle et de se forger une place dans le cinéma à la faveur de son physique singulier et de dons de comédien qu'il s'inventait film après film, s'éloignant du jeune premier comique qu'il avait été au théâtre pour devenir quelque chose d'autre et de neuf : un authentique acteur de cinéma, comme s'il était né avec ce septième art — ce qui était à quelques années près chronologiquement vrai. Après de brèves classes au music-hall et dans l'opérette, il était réellement né avec le cinéma parlant français, révélant des qualités de voix, de physique et de gestuelle totalement adéquates à la jeune dramatique cinématographique. Il ne pouvait s'y tromper : ce qu'il avait de rare éclatait même dans des films quelconques et il n'y avait pas que Carné parmi les critiques pour signaler la vérité, la justesse, l'humanité et la sensibilité contenue de sa façon de jouer. Il n'est jusqu'à ses lèvres minces et fermées qui, après l'avoir desservi dans le comique, prenaient une signification psychologique de secret et de nostalgie, donnant aux quelques sourires exigés par ses rôles un prix d'autant plus grand.

Il était donc devenu un autre être, par ces possibilités brusquement révélées et le succès qui en était la preuve et la récompense, et cet autre être voulut conquérir Doryane, créature d'un monde qui n'avait pas été le sien jusque-là. Doryane fut conquise. Le 20 novembre 1933, ils se marieraient le plus légalement du monde. Auparavant, Jean et Gaby avaient divorcé. Ils s'étaient séparés sans fracas, conscients que leur amour — mais pas leur amitié — avait fait son temps.

Doryane et Jean Gabin s'étaient unis pour le meilleur et pour le pire, comme tout le monde, et ils reçurent un bon lot de l'un et de l'autre, ayant tous deux beaucoup de caractère. Mais, pour en revenir à *La Belle Marinière* et à la Paramount, il se passa ceci que Gabin était sous contrat chez Pathé-Natan, payé à l'année, et que, compte tenu de son succès personnel et du nombre de films qu'il tournait les uns après les autres il gagnait, comme on dit, des haricots. Doryane qui s'y entendait en matière d'argent lui souffla qu'il avait intérêt à se débarrasser d'un contrat très désavantageux, quitte à consentir un sacrifice. C'est ainsi que le cachet de *La Belle Marinière* passa tout entier à régler le dédit dû par l'acteur, au cas où il romprait ses conventions avec la firme française ; mais, à partir de cela, il fut libre d'exiger, au coup par coup, des rémunérations en rapport avec sa notoriété grandissante — et on peut considérer que ce fut le début de sa fortune.

Egalement à partir de ce moment il commença à être

plus attentif au choix de ses scénarios et de ses rôles. Doryane n'était pas étrangère à ce fait : d'une manière générale, les témoins de cette époque affirment que sa deuxième épouse — il l'appelait Dodo — exerça une très bonne influence sur sa carrière. Elle lui apprit tout, va-t-on jusqu'à dire, ce qui est sûrement exagéré, mais sans doute lui fit-elle prendre conscience de sa valeur, de ses possibilités et de sa spécificité. Plus tard, parce que leur ménage devint un enfer, Gabin soutint mordicus que tout cela était faux, mais les hommes sont ainsi faits qu'ils peuvent être de mauvaise foi quand une rancune tenace les habite.

Ses quatre films de 1933 ne portent pas vraiment la marque de ces nouvelles préoccupations, mais ceux de 1934 préludaient à de proches triomphes. Le premier fut *Zouzou*, avec Joséphine Baker. On sait que cette dernière était arrivée à Paris en 1925 avec une *Revue nègre* qui avait été une authentique sensation, elle-même ayant été le clou de cette sensation grâce au plébiscite spontané des Parisiens. Depuis, elle était devenue une reine du music-hall, et le film *Zouzou* avait été fait pour mettre en valeur ses danses et exhibitions habituelles. Mais l'intrigue, avant de la faire triompher avec panache sur une scène, en faisait une petite blanchisseuse dont le frère adoptif était Jean Gabin. Et que faisait-il, ce frère adoptif ? Son service militaire dans la marine comme il avait fait pour de bon au temps de son mariage avec Gaby Basset, avec exactement le même uniforme — et puis l'ouvrier, comme au temps de son adolescence. Son jeu naturel et vrai surclassait nettement celui de la vedette noire dans les scènes de comédie — et pour cause ! Bien sûr il ne suffit pas d'avoir été pompon rouge et prolétaire pour rendre vrais et naturels ces personnages à l'écran, n'empêche que Michel Cournot écrirait quelque quarante ans plus tard dans *Le Nouvel Observateur* que le meilleur rôle de Gabin avait été celui de Jean dans *Zouzou !*

Son film suivant fut *Maria Chapdelaine*, d'après un célèbre roman canadien. Madeleine Renaud faisait le rôle de Maria, Jean Gabin celui d'un trappeur, François Paradis. Le film fut tourné au Québec dans les décors où se déroulait l'histoire et fit verser autant de larmes qu'avait fait le livre ; mais l'important pour Gabin et pour son avenir, c'est que le metteur en scène en était Julien Duvivier.

Ce dernier, qui avait alors trente-huit ans, réalisait des films depuis déjà quinze ans. Sa production du temps du muet ne s'était pas élevée au-dessus du niveau commercial, mais il avait surmonté avec bonheur le passage au parlant, avec un *David Golder* interprété par Harry Baur et un émouvant *Poil de Carotte*. Sa longue expérience des plateaux en avait fait un technicien accompli qui préparait et tournait ses ouvrages avec une rigueur sans défaut. Directeur d'acteurs exigeant, il était réputé pour son mauvais caractère, mais cachait sous ces apparences un cœur sentimental qui pressentait non seulement le romantisme des êtres mais celui de la vie quotidienne de son temps. Dans les années cinquante, donc dans son âge mûr, il le prouverait encore avec *Le Petit Monde de Don Camillo*, évocation imagée et juste de l'Italie d'après-guerre. Dans les années trente, le monde qui allait l'inspirer était celui d'une société en proie à la crise, où les enfants de la Première Guerre cherchaient en vain le bonheur pour lequel leurs pères avaient combattu. 1934, pour la France, c'était une année de troubles politiques et sociaux. A deux pas de ses frontières, le fascisme était triomphant. Peu à peu, les sujets de films s'en ressentaient, s'orientaient vers de nouveaux personnages tourmentés par de nouveaux problèmes. Duvivier était de ceux qui allaient faire un sort à ces sujets-là.

Pourtant, c'est un film en costume qu'il fit tourner à Jean Gabin après *Maria Chapdelaine*. *Golgotha* racontait la dernière semaine de la vie du Christ, d'après le livre d'un ecclésiastique, le chanoine Reymond. Gabin jouait Ponce Pilate. Sur le conseil de son metteur en scène, conseil qu'il suivit sans rechigner, il avait fait l'effort de se documenter sur son personnage, pour mieux le comprendre et restituer ce qu'il avait d'universellement humain. En sorte qu'il fut un Ponce Pilate convaincant dans un film de qualité, mais, sous la tunique romaine et avec les cheveux ras, une part du public ne reconnut pas *son* Gabin — preuve qu'il y avait, avant même qu'il eût tourné ses grands films, un Gabin avec un public, à tout le moins une silhouette de Gabin dont il valait mieux qu'il ne s'écartât pas. Henri Jeanson exprima cela dans

28

Le Canard enchaîné sur un ton de narquoise férocité :
Quant à Gabin, ce n'est pas de Golgotha qu'il a l'air de descendre, mais de la Courtille. D'ailleurs, il s'en lave les pognes.

Mais l'acteur ne garda pas rancune à Duvivier de l'avoir distribué dans une histoire qui ne l'avantageait pas vraiment. Il lui savait gré de ce qu'il apprenait à son contact ; il observait ce technicien solide et il retenait les leçons. Aussi trouva-t-il sa récompense dans *La Bandera*, troisième film où se retrouvèrent les deux hommes. Conscient de la valeur du rôle, Gabin avait acheté les droits du roman de Pierre Mac Orlan dont fut tiré le film. Mais pour Duvivier ainsi que pour Charles Spaak, qui écrivit avec lui le scénario, c'était également un sujet prometteur.

D'un an plus vieux que Gabin, Charles Spaak était belge — le frère cadet d'un homme politique qui entamerait bientôt une carrière ministérielle longue et fort remarquée. Lui était attiré par Paris et la vie artistique. Il avait commencé sa carrière comme secrétaire de son compatriote, le grand réalisateur Jacques Feyder, pour qui et avec qui il avait été amené à écrire un premier scénario, puis un deuxième, *Le Grand Jeu*, qui avait pour cadre la Légion étrangère et avait connu un succès considérable.

On voit l'intérêt et le plaisir qu'il prit à travailler avec Duvivier sur un film qui aurait une atmosphère rappelant celle du *Grand Jeu*, puisque la Bandera, c'est la Légion étrangère espagnole. Gabin, pour son compte, retrouverait la mèche de cheveux rebelle et l'uniforme contemporain qui lui allait si bien.

Peut-être vous souvenez-vous encore de ce Gilieth qui, un soir à Montmartre, tue un homme dans un mouvement de colère. Meurtrier sans l'avoir voulu, il quitte la France et va chercher refuge dans l'anonymat de la Bandera. Là, il connaîtra l'amour de la Marocaine Aischa, sera en butte aux agissements curieux d'un autre légionnaire — en réalité un policier qui le traque — et mourra finalement dans un fortin assiégé par les rebelles.

Jean Gabin ne s'était pas trompé : *La Bandera* fit de lui une vedette. C'était en 1935.

CHAPITRE III

Si *La Bandera* fit de Jean Gabin une vedette, *Pépé le Moko* en fit une *grande* vedette. Julien Duvivier en était encore le réalisateur, et le décor toujours l'Afrique du Nord — la casbah et le port d'Alger, cette fois — où venait se réfugier un Parisien traqué par la police. Mais Pépé le Moko, à l'inverse de Gilieth, était un gangster. Il perdait sa prudence pour l'amour d'une belle et riche touriste française et, pour ne pas être pris par les policiers qui l'avaient débusqué grâce à cette circonstance, il se donnait la mort. Le succès de cette aventure d'un romantisme noir dépassa encore celui de *La Bandera*.

Mais, entre ces deux films, Jean Gabin en avait tourné trois autres. *Variétés* racontait l'histoire, reprise depuis car elle est riche de suspense, de deux trapézistes amoureux de la même femme : leur partenaire.

La Belle Equipe, qui vint ensuite, avait la particularité de prendre son sujet dans la vie quotidienne, sans apport de folklore ou d'exotisme. L'aventure était celle de cinq copains, maçons en chômage, qui achètent en commun un billet de loterie et gagnent le gros lot. Sur l'initiative de l'un d'eux, Jean, ils décident de ne pas disperser cet argent et de l'utiliser pour construire une guinguette qu'ils exploiteront en commun. Les hasards de la vie, le passé de l'un, la femme de l'autre, un accident mortel se chargent de faire échouer ce beau projet communautaire. Même dans la fin la plus optimiste — car deux fins furent tournées et soumises au public — les espérances des amis se trouvaient déçues. Julien Duvivier avait écrit le scénario avec Charles Spaak et fait la mise en scène. Pour essayer de traduire les préoccupations sociales de son époque et le désir des hommes de sortir de leur misère par la fraternité, il avait pris pour héros des ouvriers.

C'était rare à l'époque ; cependant un autre cinéaste de la même génération que lui avait réalisé deux films ayant aussi des ouvriers comme protagonistes. Ces films étaient *Toni* et *Le Crime de M. Lange* ; leur auteur, Jean Renoir.

C'est le fils du grand peintre impressionniste Auguste Renoir. Il était né et avait passé sa jeunesse dans un Montmartre encore champêtre, au sein d'une famille chaleureuse. Après, il avait été officier de cavalerie, d'abord par choix, puis par nécessité de guerre — celle de 14-18 où il avait été aussi aviateur photographe, avant d'être blessé, convalescent, puis envoyé à l'arrière.

La paix venue et ses parents morts, il s'était essayé à la céramique, mais il avait abandonné et s'était tourné vers le cinéma. La première fois qu'il avait vu un film, il avait huit ans, il était pensionnaire dans un collège où un opérateur flanqué d'aides et d'appareils était venu donner aux enfants une séance récréative ; il avait été emballé. Quinze ans plus tard, pendant la guerre, il était devenu vraiment fou de ciné, grâce aux *Mystères de New York*, un serial dont la vedette, Pearl White, tenait son public en haleine en échappant avec virtuosité aux périls qui s'accumulaient sous ses pas, et grâce surtout à Charlie Chaplin.

Parallèlement, son expérience de photographe aérien lui avait donné le goût de tous les aspects techniques de la photographie — cinéma inclus. Aussi est-ce surtout la technique qui lui importa dans son premier film, *La Petite Marchande d'allumettes*, qu'il réalisa avec quelques camarades. Ils avaient tout fabriqué eux-mêmes, du groupe électrogène aux costumes, et Renoir en avait gardé la ferme conviction que le cinéma est un art artisanal.

D'autres idées s'étaient ajoutées à celle-là, la première étant qu'un réalisateur français doit montrer des Français car il ne pourra rendre avec véracité que des gens ayant les mêmes racines que lui ; il disait aussi que le travail du metteur en scène, c'est de prendre ses acteurs et de les mettre dans une sorte d'état particulier qui fait que, en tournant, ils vivent leur personnage et uniquement leur personnage. Avec les années — années semées d'échecs et de succès — il avait cessé de s'intéresser uniquement à la technique et se sentait avant tout un raconteur d'histoires. Comme il croyait au destin, ces histoires étaient inéluctables, parfois tragiques, et il avait écrit en 1933 ces lignes significatives : *Quelle volupté pour un observateur amoureux que de dégager la destinée fatale d'un ou de plusieurs êtres.*

Grosso modo, c'était les mêmes préoccupations que celles de Julien Duvivier. Les deux hommes étaient différents ; Duvivier, plus pessimiste de nature, avait néanmoins un meilleur sens des affaires que Renoir, en sorte que sa carrière comportait moins de dents de scie, mais, dans ces années trente, il y avait chez l'un comme chez l'autre un même souci de réalisme, un même désir de dégager le lyrisme des existences — c'est-à-dire leur fatalité romanesque, leur coloration douce-amère, la beauté fragile de leurs espérances et celle, tragique, de leurs défaites. En résumé, ils étaient portés vers les mêmes sujets — ce qui le prouve, c'est que Renoir avait été bien dépité lorsque, désireux de tourner *La Belle Equipe,* il avait été coiffé au poteau par son confrère qui en avait acheté les droits.

Bientôt, un troisième larron pas mal plus jeune qu'eux viendrait labourer les mêmes terres et se faire une belle renommée. Il s'agit de Marcel Carné, mais nous y reviendrons. Pour l'heure, en 1936, Carné préparait son premier film, avec tout ce que cela implique de difficultés. Et c'est en quelque sorte entre Duvivier et Renoir, pour encore quelque temps, que se faisait la concurrence. Charles Spaak travaillait tantôt avec l'un, tantôt avec l'autre. Ils tiraient grand profit de son talent. Ils en tirèrent un plus grand encore de l'acteur Jean Gabin.

Assurément ce cinéma neuf et curieusement apprécié

du public n'aurait pas eu sans lui son succès et l'influence qu'il allait avoir sur le cinéma mondial. Gabin devenait le phénomène qui s'était peu à peu dessiné dans ses premiers films. Il n'était pas vraiment joli garçon : il avait le nez gros, la bouche comme une coupure, les paupières plutôt lourdes, la nuque épaisse. Oui, dans le détail, on pouvait lui trouver pas mal de défauts. Mais il avait des yeux d'un bleu merveilleux qui crevaient l'écran même en noir et blanc, et puis cette mèche attendrissante qui ne cessait de lui retomber sur le front, et puis un corps puissant, rassurant, et puis des extrémités fines, de jolies mains — mais ici non plus, on ne peut pas faire le détail. L'ensemble donnait un homme très séduisant, plein d'un charme qui défiait l'analyse. Le regard, certes, y jouait un très grand rôle ; les yeux de Gabin regardaient toujours quelque chose — son interlocuteur, un passant ou son rêve intime —, ils étaient toujours présents, agissants, dans le coup. Sa voix participait de la même magie, bien posée, très intelligible mais un peu sourde, suggérant une vie intérieure ironique et désabusée, une connaissance du monde sans beaucoup de complaisance. Son corps enfin et sa façon de se mouvoir avaient de la solidité. Ils paraissaient être l'émanation parfaitement incarnée d'une terre et d'une race, et aussi d'une génération qui avait son romantisme particulier, bien moderne et pourtant éternel.

Ce physique si bien fait pour l'écran et pour l'orientation qu'avaient prise certains réalisateurs de son temps était servi par des dons d'acteur qui faisaient de lui exactement ce dont parlait Renoir : un Français ressenti comme tel par ses compatriotes — ce qui lui conférait une dimension universelle — et un comédien capable d'être, quand il joue, un *personnage* et uniquement ce personnage-là.

Il est curieux de noter que ce même Renoir, la première fois qu'il prit Gabin pour interprète, le fit pour un film adapté d'une pièce russe, *Les Bas-Fonds*, de Maxime Gorki. Ce n'était pas tout à fait conforme à ses professions de foi, mais les hasards d'une carrière et les nécessités de l'existence sont ce qu'ils sont. Dieu sait que Renoir rouspéta avant d'accepter — il avait dans ses tiroirs un sujet qui le passionnait bien davantage — mais, quand il eut sauté le pas, il fit en sorte de ne pas trop se déjuger : son film se déroula dans un pays jamais nommé ; il garda les noms russes inventés par Gorki ; mais il n'essaya pas de dépeindre les abîmes de l'âme slave : tout en respectant l'intrigue, il construisit ses personnages en se baladant dans les faubourgs parisiens et en observant les gens. Il en résulta un film réaliste et attachant que, dix ans plus tard, Renoir lui-même mettrait au nombre de ses trois meilleurs films.

Mais, en attendant, il avait toujours en réserve son fameux projet qu'il promenait un peu partout sans parvenir à y intéresser un producteur. Deux ans que ça durait, sinon trois ! Charles Spaak était tout disposé à participer à l'adaptation, mais les producteurs disaient que ça n'intéresserait personne, leur histoire — un film de guerre, pensez !... Il y avait longtemps que les hostilités étaient terminées.

Ce sujet contesté, Renoir l'avait trouvé dans les récits de son ami Pinsard, qui avait fait la guerre dans l'aviation comme chasseur. Les chasseurs, on le sait, descendaient beaucoup d'ennemis mais se faisaient aussi souvent descendre. Pinsard, pour sa part, avait été descendu sept fois, fait prisonnier sept fois — et il s'était évadé sept fois. Renoir, lui, n'avait pas connu la captivité — il n'était pas chasseur mais observateur — mais il avait ses propres souvenirs de guerre et ses idées sur elle. Son propos, c'était de faire un film contre la guerre, mais qui montrerait que les combattants étaient des types comme tout le monde, sensibles et braves, aussi bien les Allemands que les Français. Il pensait que c'est la guerre qui est haïssable, pas les soldats.

Humainement et esthétiquement, Charles Spaak pensait comme lui — et plus on avançait dans ces mornes années trente, plus ils se disaient tous deux que leur film allait devenir, hélas, d'actualité ; et même qu'il avait une chance d'être utile à la cause de la paix chancelante. Mais ça n'avançait pas leurs affaires. Un certain Albert Pinkéwitch, qui produisait alors le premier film du jeune Carné, aurait bien aimé faire travailler Renoir, mais ce sujet, vraiment, c'était trop rebutant !

Marcel Carné lui fit remarquer :

— Si deux hommes de la valeur de Spaak et Renoir s'acharnent depuis trois ans à porter cette histoire à l'écran, c'est qu'ils ont quelque chose à dire ! Leur film ne sera sûrement pas indifférent.

Pinkéwitch fut un peu ébranlé mais pas complètement convaincu.

Mais il se faisait que Jean Gabin avait beaucoup aimé le travail de Renoir lorsqu'ils avaient tourné *Les Bas-Fonds*. Il estimait que Julien Duvivier, par sa rigueur et sa précision de grand horloger, par l'obéissance qu'il exigeait des acteurs, l'avait fait progresser dans son métier, mais il avait trouvé chez Renoir quelque chose d'autre. Renoir n'ignorait pas l'importance de la technique et d'un scénario bien vissé, mais il faisait néanmoins leur part à l'improvisation et à la fantaisie. Il respectait davantage les comédiens, leur intuition, leurs suggestions. A son contact, sous son influence artiste et imaginative, Gabin en avait appris un peu plus, sans doute à se chercher au plus profond de lui-même, à rendre encore plus authentiques ses divers personnages. Plus tard, il dénierait à quelque metteur en scène que ce soit le droit de se prétendre « directeur d'acteurs », mais il ferait exception pour Julien Duvivier et pour Jean Renoir.

C'est donc dans une disposition d'esprit favorable qu'il prit connaissance du scénario incasable de Renoir et Spaak. Il dit qu'il aimait ça, qu'il avait confiance que ça ferait un bon film. Il accepterait de jouer dedans ? Bien sûr ! Alors, le ciel s'éclaircit enfin pour le réalisateur, car Gabin était devenu une star dont le nom suffisait pour assurer la rentabilité d'un film.

Et c'est ainsi qu'après *Pépé le Moko* qui l'avait hissé au pinacle, Gabin tourna *La Grande Illusion* — tel était le titre trouvé par ses auteurs pour leur « film de guerre ».

Tête d'affiche, il n'y tenait pas à proprement parler le premier rôle. Il n'y avait pas de premier rôle dans ce film, mais une demi-douzaine d'emplois superbes tenus par des acteurs superbes : outre Gabin, Eric von Stroheim, Fresnay, Carette, Dalio. C'est le sujet qui était la vraie vedette : une histoire contenant suffisamment de suspense grâce aux évasions, réussies ou non, qui en formaient la trame ; et l'expression d'idées fortes : la solidarité des prisonniers entre eux quelle que soit leur classe sociale venant en contrepoint de la fraternité de classe qui se manifeste même entre belligérants. C'est ainsi que le capitaine de Boëldieu a des affinités réelles avec le commandant von Rauffeinstein, gouverneur de son Stalag — mais le commandant tuera Boëldieu qui, en attirant sur lui l'attention des gardes, a facilité l'évasion de son coéquipier Maréchal.

C'est Jean Gabin qui jouait Maréchal, lieutenant d'aviation issu du peuple. Dans un film sans fioritures romanesques ni drame d'amour, qui fit une brillante carrière internationale, ses qualités d'acteur éclataient dans leur vérité nue.

Elles éclatèrent de même dans son film suivant à propos duquel le réalisateur, Raymond Rouleau, décrivit très finement un des aspects de son talent. Il observa que Jean Gabin, lorsqu'il tournait, semblait souvent ne pas mettre assez de force dans son jeu ; or, à la projection on s'apercevait à chaque fois qu'il avait fait très exactement ce qu'il fallait. *Je me suis rendu compte alors*, ajoute Rouleau, *qu'aucun acteur n'est plus que lui, ni par un plus sûr instinct, proche de l'objectif ; il a le sens de la caméra comme les oiseaux de Lindbergh ont le sens de l'orientation ; il sait, sans que ce soit chose apprise ou qui se puisse apprendre, ce que telle intonation, ce que tel mouvement non pas « donne » mais « donnera sur l'écran ». Pas une fois, je ne l'ai vu jouer pour épater les camarades ou pour plaire au metteur en scène. Toujours, avec une sûreté prodigieuse, il joue directement au public.*

Sauf qu'il est peut-être téméraire de mettre uniquement sur le compte de l'instinct ce qui était sûrement aussi fruit de l'intelligence et de l'expérience, cette description met parfaitement en valeur ce qui faisait la supériorité de Gabin et son impact sur le spectateur. Elle est d'autant plus intéressante qu'elle fut faite à propos d'un film — *Le Messager* — tiré d'une pièce de Bernstein par Marcel Achard et d'un rôle dont on pouvait penser qu'étant le contre-emploi du héros de *La Bandera* et de *Pépé le Moko*, Gabin le raterait.

Il ne le rata pas, mais revint quand même bien vite au héros mythique et désespéré que le public, semble-t-il, préférait et que Charles Spaak, qui en créa souvent la physionomie, décrivait fort bien au moment de *La Bandera : Etrange mauvais garçon, tête exceptionnellement* dure, à l'aise dans les bagarres, ayant le vin triste et quelquefois mauvais, champion de tous ceux qui n'ont guère de chance et qui, dans un milieu hostile, luttent péniblement pour des causes simples : la liberté, la nourriture, un amour ou une amitié d'une qualité exceptionnelle.

Ce personnage-là, Gabin le retrouva dans *Gueule d'amour* où il avait la même partenaire, Mireille Balin, que dans *Pépé le Moko*, mais surtout dans *Quai des brumes*, où il allait être de nouveau l'homme d'un destin métaphysico-poétique.

Le réalisateur de *Quai des brumes*, c'était Marcel Carné, ce jeune journaliste qui avait détaché de la distribution de *Gloria*, où il n'occupait pourtant qu'un rôle secondaire, le nom de Jean Gabin. Depuis ce temps-là, il était devenu réalisateur, comme il le voulait passionnément, après avoir été l'assistant de René Clair et de Jacques Feyder. Il éprouvait pour ce dernier une admiration qui submergeait même son sens critique et avait fait de lui son sujet dévoué. Il l'avait secondé dans quatre films, en dernier lieu dans le fameux *Kermesse héroïque*, où triomphait l'épouse de Feyder, Françoise Rosay. Si le mari payait souvent d'indifférence et d'ingratitude le zèle de son assistant, Françoise Rosay lui avait dit à maintes reprises :

— Quand tu trouveras l'occasion de faire un film, si cela peut t'aider, je tournerai pour toi.

Cela se sut, et c'est ainsi que, grâce à la promesse et au prestige de l'actrice, Carné trouva son premier producteur, Albert Pinkéwitch — et un collaborateur, Jacques Prévert, qui se révéla lui aller comme un gant. Ensemble ils tirèrent d'un feuilleton mélodramatique un film qu'ils intitulèrent *Jenny* et qui, quoiqu'il déroutât le public par son décor et son dialogue insolites (apport de ses créateurs), fit une carrière commerciale honorable.

Il n'en fut pas de même du suivant, *Drôle de drame*, une fantaisie adaptée par Prévert et Carné d'un roman policier anglais, tout imprégnée d'humour anglo-saxon et jouée par des acteurs vraiment remarquables : Françoise Rosay, Michel Simon, Jouvet, Barrault, Jean-Pierre Aumont. Un ami de Prévert, Trauner fit des décors délicieux ; et l'équipe technique était si bonne que le film fut mis dans la boîte en vingt-trois jours. Mais la mayonnaise ne prit pas. *Drôle de drame* fut considéré comme une blague de mauvais goût. Le public de la première siffla, et la presse fut unanime dans son entreprise de démolition. Dix ans plus tard, on crierait au chef-d'œuvre — les gens sont comme ça, adorant demain ce qu'ils ont brûlé hier — mais, à sa sortie, le film ne tint qu'un court moment au cinéma Colisée, où il y eut cependant des gens pour aller le voir en ne le trouvant pas si atroce que ça.

Parmi ces gens, deux femmes furent séduites par son atmosphère poétique et l'originalité de son style. L'une était Doryane, alias Dodo, alias Mme Jean Gabin ; l'autre l'épouse d'un producteur, responsable général des films français tournés par la UFA, Raoul Ploquin. Les deux maris se trouvaient à Berlin pour le tournage de *Gueule d'amour* et, comme cela se fait, ces dames leur téléphonèrent pour leur raconter leur journée.

— J'ai vu un film qui sort de l'ordinaire, dit Doryane, qui ne perdait jamais de vue la carrière de Jean.

— Ah bon ! Et de qui ?

— Marcel Carné.

— Je connais. Il avait pensé à moi pour *Jenny*, son premier film. Mais, de toute façon, je ne pouvais pas : Dudu me voulait pour *La Belle Equipe*.

Dudu, c'est comme ça que Jean Gabin appelait Duvivier. Il donnait des surnoms à tous ses familiers.

— Tu as peut-être eu tort de ne pas réfléchir à deux fois, fit Doryane. Pour l'avenir, souviens-toi de ce nom-là : Carné.

Comme Mme Ploquin tint le même genre de discours à son mari à elle, quand l'acteur et le producteur rentrèrent à Paris, une semaine plus tard, ils prirent rendez-vous avec le jeune réalisateur.

Dans un premier temps, tout se passa très bien et très vite. Les trois hommes déjeunèrent ensemble, et, après quelques propos généraux sur le cinéma, attaquèrent le vif du sujet. Carné avait-il un sujet pour Gabin ?

— Pourquoi pas *Quai des brumes* ? répondit-il.

C'était, comme *La Bandera*, un roman de Pierre Mac Orlan. Il l'aimait beaucoup et se mit à en parler d'abondance, sachant que son complice Jacques Prévert, aussi, en appréciait l'atmosphère et les personnages.

— On va le lire, dirent les deux autres. Puis on se téléphonera.

Ils téléphonèrent dès le lendemain. Ils avaient tous deux lu le bouquin dans la nuit ; ils l'aimaient. Dans un temps record, les contrats furent signés par Ploquin avec Mac Orlan, Gabin, Carné et Prévert.

... Et puis les ennuis commencèrent, le premier quand Carné prit conscience que le film serait tourné à Berlin, puisque c'est la UFA qui le produisait, et que reconstituer Montmartre — cadre du roman — à Berlin, ce pouvait ne pas être une réussite.

— Ils feront ça lourd et théâtrale, les Allemands, dit Carné à Prévert.

Prévert en convint. C'est alors qu'ils eurent l'idée de transporter l'histoire dans un port. Un quai brumeux, ça devait pouvoir se trouver par exemple à Hambourg, non ?

Le deuxième contretemps, c'est que Michèle Morgan, une toute jeune actrice que le réalisateur voulait pour partenaire de Gabin, ne se trouvait pas libre. C'était bien ennuyeux.

Mais le troisième, c'est simple, remettait toute l'affaire en question : les Allemands, notamment un certain Dr Goebbels, n'aimaient pas le sujet. Ils le trouvaient négatif et décadent ; bref ils n'en voulaient pas.

— A ce que je comprends, ils ne voudront d'aucun sujet que je leur proposerai, dit Carné à Ploquin.

C'est ce dernier qui était le plus embêté. Il avait signé les contrats avec une hâte qui se révélait intempestive et se trouvait dans une impasse qui pouvait lui coûter sa situation. Il n'en désirait pas moins aider Carné.

— Je sais comme vous tenez à ce film, lui dit-il. Seriez-vous d'accord pour que nous tentions de repasser l'affaire à une firme française ?

— Certainement, dit le réalisateur.

Non seulement il était d'accord, mais il était heureux, l'idée de tourner en Allemagne ne lui ayant jamais souri.

Une fois de plus, le nom de Gabin fit merveille. Les tractations aboutirent ; un producteur français racheta tous les contrats déjà signés. Carné et Prévert se mirent au travail sur le scénario. Bien que leur première raison de situer l'action dans un port n'existât plus, ils conservèrent leur idée ; mais comme il n'y avait plus de raison non plus d'aller à Hambourg, ils choisirent Le Havre, après avoir hésité entre cette ville et Brest. L'atmosphère du Havre était exactement ce qu'ils souhaitaient, brumeuse, envoûtante, lourde aussi de menaces diffuses. Ils exultaient.

Seulement, leur producteur français — au demeurant un Israélite allemand ayant fui les avanies nazies —, lorsqu'il prit connaissance de leur scénario, ne l'aima pas plus que n'avaient fait les gens de la UFA. Il avait acheté chat en poche sur le seul nom de Gabin et ne s'attendait pas à cette histoire qu'il qualifia de sordide et de « sale ».

— Moi, je l'aime bien, dit l'acteur qu'il avait appelé à la rescousse, sûr qu'il aurait un jugement pareil au sien. Je crois que ça va faire un bon film, monsieur Rabinovitch.

M. Rabinovitch, tel était le nom du producteur, dut bien s'incliner puisque sa précieuse vedette se mettait résolument du côté des auteurs. Mais il exigerait des coupures ! il ferait en sorte qu'on supprimât toutes ces scènes sales qui le révulsaient ! Il...

S'il ne réussit pas, ce n'est pas faute d'essayer. Mais il se heurta à plus fort que lui. Marcel Carné, malgré sa jeunesse et sa petite taille, avait du caractère. Têtu, râleur, rusé à l'occasion, il avait la volonté bien arrêtée de faire ce qu'il entendait, et comme il l'entendait. Gabin, par bonheur, ne perdait pas un occasion de le soutenir et de prendre sa défense. Il l'avait surnommé le Môme. On sait que c'était sa manie. Ainsi appelait-il Micheline, son habilleuse, la Grosse ou la Miche. Et de même y avait-il quelqu'un qui était *la* Môme.

C'était Michèle Morgan. Marcel Carné avait pu l'avoir dans sa distribution, en fin de compte. Comme quoi les embrouilles du début avaient eu du bon.

CHAPITRE IV

Lorsque commença le tournage de *Quai des brumes*, le 2 janvier 1938, Michèle Morgan n'avait pas encore dix-huit ans, mais déjà un passé artistique.

Elle avait trois ans lorsqu'un ami de son père avait établi son horoscope et déclaré :

— Simone — elle s'appelait alors Simone Roussel — aura une destinée exceptionnelle. Elle s'illustrera dans les arts.

Toute la famille y avait cru fermement — ce pourquoi on peut dater de là les débuts de sa carrière. C'était une famille heureuse dont les membres entretenaient entre eux des relations très cordiales, et qui tous avaient le don et le goût du rire. Le père avait une bonne situation; deux frères et une sœur étaient nés après Simone ; et tout allait pour le mieux lorsque la crise économique était survenue, bouleversant la vie de cette nichée unie. Ayant perdu son emploi, Louis Roussel s'était associé avec un de ses frères pour reprendre une épicerie à Dieppe et tenter de redresser sa situation financière.

Ainsi est-ce à Dieppe que Simone émigra vers sa dixième année et est-ce là qu'elle eut la révélation qui précisait son horoscope — s'illustrer dans les arts, en

41

effet, c'était vague. Quelqu'un lui posa la question classique :

— Que veux-tu faire quand tu seras grande ?

Elle répondit sans l'ombre d'une hésitation :

— Je serai actrice de cinéma.

Ce n'était ni par hasard ni par caprice. Elève d'un cours de danse, elle avait éprouvé un vrai bonheur à se produire en public au cours de petites fêtes. Par ailleurs, elle avait pour les actrices — Garbo, Joan Crawford, Katharine Hepburn — une admiration profonde qui la faisait non seulement rêver, mais réfléchir avec gravité aux conditions de leur métier.

Elle avait quinze ans, et c'était l'été, lorsque divers événements vinrent donner corps à ses désirs. Le premier c'est que son père, hélas, n'était aucunement doué pour le commerce et que son épicerie battait fortement de l'aile. Le deuxième, c'est que Simone gagna le deuxième prix d'un concours de photographie organisé sur la plage et que le cameraman lui dit qu'elle avait un physique de cinéma. C'était troublant, et cela d'autant plus que, la veille, un monsieur de Paris en vacances — un homme, pas un de ces jeunots avec qui les adolescentes de son âge ébauchaient des flirts sur la plage — lui avait fait un brin de cour, lui avait dit qu'elle était belle et avait ajouté :

— Avec ces yeux-là, vous devriez faire du cinéma !

Ses yeux, elle n'avait pas fini d'en entendre parler. C'est d'ailleurs vrai qu'ils étaient beaux avec leurs prunelles vertes, leur jolie forme légèrement relevée vers les tempes et leur regard limpide.

Raisonnable et gentille, elle répondit au monsieur qu'avant de penser au cinéma, elle devait d'abord passer son brevet.

— Quand vous l'aurez, vous pourrez toujours venir me voir, dit l'homme. Je connais des acteurs, des impresarios...

Seigneur, était-ce possible ! Mais c'était *la chance*, ce Parisien ! Et la chance, qui sait si elle se présenterait encore l'an prochain ? Qui sait si, d'ici là, la famille n'aurait pas sombré dans la misère et le désastre ? Il y avait le brevet à passer, soit. Mais elle s'en moquait comme d'une guigne de son brevet, la petite Simone !

Elle avait répondu ça comme ça, parce qu'elle était une demoiselle bien élevée...

C'est ainsi que commença l'épopée de Simone Roussel. Ingénue, pas perverse pour un sou, mais prompte à se déterminer, elle demanda une place dans sa voiture au monsieur qui connaissait des gens de cinéma et regagnait justement Paris. Elle emmena un de ses petits frères comme duègne, encore qu'elle fût sans méfiance : son chauffeur était marié et père de famille ! Les grands-parents accueillirent les enfants, l'homme tint ses promesses et, trois jours plus tard, Simone faisait une figuration dans *Mademoiselle Mozart*, qu'Yvan Noë tournait avec Danielle Darrieux en vedette.

Et un an après — une seule année de « vaches maigres » pimentée par une colère vite apaisée de papa Roussel, tempérée par le soutien affectueux de toute sa famille et marquée par le changement de son nom en Michèle Morgan — elle jouait le premier rôle féminin de *Gribouille*, un film de Marc Allégret dont la vedette était Raimu, et qui sortit en 1937.

C'est dans ce film que Marcel Carné l'avait vue et avait alors souhaité l'avoir pour être Nelly dans *Quai des brumes*. Mais elle tournait *Orage* avec Charles Boyer, devenu aussi célèbre à Hollywood qu'en France. Foudroyant départ, partenaires prestigieux dès ses premiers films, elle allait drôlement vite, la petite Michèle Morgan.

Dans *Orage*, elle se trouva mauvaise mais ne le fut apparemment pas tant que ça, puisque Carné fut enchanté de la retrouver libre après le retard qu'avait pris la réalisation de son propre film. Par une amie commune, Denise Tual, il fit savoir à la jeune actrice que Jean Gabin et lui désiraient la connaître au plus tôt. Rendez-vous fut pris au Fouquet's, cantine habituelle des gens de cinéma. Le cœur battant de plaisir et d'angoisse, la jeune actrice s'y rendit. En approchant de leur table, elle vit un petit homme juvénile au visage rond, au langage un peu sec mais courtois : Marcel Carné. Elle vit surtout l'autre, dont l'apparence lui causa un choc — *le choc d'une étonnante blondeur, rien de la pâleur décolorée du Nordique, un blond chaud de blés au soleil. Ses yeux bleus sous des cils drus et dorés : un paysage de Beauce ou de Brie. Quant au costume, quelle découverte ! Une élégance très golf, cachemire anglais, strict costume en prince-de-galles, cravate club et bleuet à la boutonnière* — tels sont les mots dont elle usa elle-même, quarante ans plus tard, pour décrire le partenaire qui lui était destiné.

Pendant le tournage d'*Orage*, elle avait beaucoup souffert de la froideur de Charles Boyer. Il jouait à la perfection et se montrait très poli avec elle, mais il semblait n'avoir jamais pensé qu'une gamine de dix-sept ans, interprétant un rôle difficile, avait besoin d'un peu d'affection, de marques de sympathie, voire de quelques encouragements amicaux. Ayant la sensation douloureuse d'être comme transparente, de ne pas exister à ses yeux, elle avait versé des torrents de larmes.

Avec Jean Gabin, elle fut tout de suite rassurée. Aux yeux de celui-là, elle n'était pas transparente. Ou si elle l'était, c'est qu'il jouait la comédie aussi bien à la ville qu'à l'écran. Il voulait visiblement lui plaire et apparaître sous un jour séduisant ; il l'avait déjà subjuguée par son élégance et une allure de prince à laquelle elle ne s'attendait pas ; mais il continuait en s'occupant d'elle à lui faire tourner la tête — et elle avait un peu de peine à se souvenir qu'elle était là pour plaire aussi à Carné, le maître d'œuvre !

Elle fut ramenée à la réalité lorsque ce dernier lui déclara qu'il voulait lui faire tourner un essai, une scène du film avec Gabin lui-même pour lui donner la réplique. Un essai alors qu'elle avait montré ce qu'elle savait faire dans deux grands films ! A la limite, c'était vexant et désobligeant, et lui vint l'idée que le baratin de Jean Gabin n'avait peut-être pas eu d'autre but que de lui faire avaler une pilule amère.

Elle accepta, naturellement. Son partenaire lui témoigna une sympathie chaleureuse et efficace ; et Carné fut enchanté. Dans ses Mémoires, plus tard, il nota : *Michèle s'y révéla bouleversante. Je ne sais si c'est le trac ou l'émotion, elle s'y montra encore supérieure à ce qu'elle devait être par la suite dans le film...*

Mais elle, Michèle, garda une sorte de défiance vis-à-vis de Gabin, vis-à-vis de son charme en tout cas, car, au point de vue professionnel elle fut éblouie par sa façon de travailler, l'exemple qu'il lui donnait — de sobriété et de naturel —, l'aide qu'il lui apportait sans en avoir l'air : *avec lui*, découvrit par exemple la jeune fille, *mes répliques deviennent des réponses !*

Malgré Rabinovitch qui, détestant le sujet, avait laissé au Havre un directeur de production dévoué à son opinion, cependant que, de Paris, il bombardait son réalisateur de lettres et télégrammes exigeant modifications et coupures — malgré lui et l'énervement que cela lui causait, Carné tourna son film comme il l'entendait. Il raconta l'histoire de Jean, un déserteur qui cherche à fuir la France, et de Nelly, jeune fille paumée parce que son premier amoureux vient de mourir et qu'elle est convoitée par des individus louches. Imprudent par amour comme Pépé le Moko, Jean, déjà embarqué sur le bateau qui représente pour lui la liberté, vient revoir Nelly et trouve la mort.

C'est un sujet que n'eût pas désavoué Julien Duvivier mais qui portait, par son atmosphère, la marque toute personnelle de Carné. Après sa tentative avortée de jouer les humoristes anglo-saxons, celui-ci avait découvert son style particulier, sa voie royale. La fatalité, l'inéluctabilité du malheur, il les avait exprimés non seulement par un récit, mais par le choix de ses personnages — un peintre fou, un tuteur qui convoite sa pupille, un mauvais garçon jaloux et violent —, par un décor au charme triste encore engrisaillé par la brume et la pluie, par les dialogues de Prévert dont l'alchimie poétique donnait à chaque protagoniste son poids de vécu et de rêvé. Il faut ajouter que le choix de la distribution, avec, outre les deux vedettes, Michel Simon, Pierre Brasseur, et Le Vigan, contribuait encore à l'impact du film.

Disons tout de suite qu'il reçut du public un accueil triomphal et qu'un critique, Claude Briac, écrivit qu'il n'y avait pas au monde dix metteurs en scène capables de réaliser un tel film. Carné n'en revenait pas de ce succès — son premier — dont il était encore plus étonné qu'heureux.

Mais le plus étonné était pourtant Gregor Rabinovitch, qui n'avait cessé de croire à la catastrophe que le jour où les applaudissements et les recettes lui donnèrent tort. Et s'il fut bien forcé de croire au succès, il ne crut jamais au *film*, même lorsqu'il eut obtenu la récompense suprême à la Biennale de Venise, le prix Delluc en France et divers autres trophées dans le monde entier.

C'est le seul Gabin qui attirait les gens, prétendait-il. Et, pourtant, lui-même n'avait-il pas sa part dans ce succès magnifique ? Il n'est pas interdit de penser que les incidents suscités par son hostilité avaient eux aussi servi *Quai des brumes* en fouettant la pugnacité et le talent de son réalisateur.

Il y eut cependant autre chose, parmi les impondérables qui concoururent à la réussite de l'œuvre, et, cela c'est Carné lui-même qui l'a souligné. Pendant le tournage, spécialement au Havre, il raconte que la vie privée des acteurs était assez survoltée. Intrigues qui se nouent, unions qui se défont, gifles qui claquent, tout cela dans le cadre restreint de l'hôtel où tout le monde logeait, mettait les acteurs dans une ambiance passionnée dont l'intensité se communiquait à leurs personnages. Et, dans cette ambiance, se trouvait la très jeune Michèle Morgan, peut-être pas aussi paumée que la Nelly du film, mais néanmoins troublée.

Depuis la rencontre au Fouquet's, Jean Gabin ne lui avait plus fait son numéro de charme, et elle pensait encore parfois qu'il ne l'avait joué en cette occasion que pour bien la disposer à consentir à l'essai voulu par Carné. Il était gentil avec elle, amical, fraternel. Elle ressentait avec satisfaction que, professionnellement, il ne tirait pas la couverture à lui mais, au contraire, l'aidait et faisait son possible pour qu'elle passât bien l'écran. Ce qu'elle ne ressentait pas — ou se refusait à savoir — c'est que ce contentement, c'était déjà le commencement de l'amour.

Le tournage de *Quai des brumes* se faisait encore au Havre lorsque vint le jour de son anniversaire. Pour la première fois, elle passerait ce jour loin de sa famille et c'était un peu attristant. Néanmoins l'équipe du film lui préparait une fête, et c'est Micheline Bonnet, l'habilleuse de Jean, qui s'était chargée de récolter les fonds pour le cadeau traditionnel.

Pour Gabin, Micheline était beaucoup plus qu'une habilleuse : une amie très chère, sa femme de confiance, une institution. Ils s'étaient rencontrés pour la première fois quand l'acteur était encore aux Folies-Bergère : les Bonnet étaient venus saluer leur ami le clown Dandy dans sa loge — loge qu'il partageait avec le jeune Jean Gabin. Présentations, bonjour, bonsoir — aucun signe prophétique n'avait marqué cette courte entrevue : Micheline ignorait encore qu'elle deviendrait habilleuse, et Gabin ne pensait sûrement pas qu'il était sur le chemin qui mène au vedettariat de cinéma. Mais, ainsi va la vie, dans *Paris-Béguin*, le troisième film de notre héros et le premier où il faisait un mauvais garçon à qui l'amour joue des tours au point qu'il en meurt, Micheline s'était occupée de ses costumes pour la première fois. Ils avaient des traits communs : les Bonnet habitaient rue Custine comme le père Gabin ; ils avaient les mêmes racines montmartroises, des souvenirs de jeunesse analogues, un langage commun — et le même dédain pour les imbéciles. Par la suite, chaque fois que c'était possible, Jean Gabin avait réclamé Micheline comme habilleuse, et ça durerait plus de quarante ans.

A l'époque de *Quai des brumes*, c'était une forte femme à l'œil vif à qui peu de choses échappait. Elle avait du cœur au boulot, savait les détails du scénario aussi bien que la scripte et connaissait sur le bout des doigts son travail, son patron, et ce qui fait courir les gens. La jeune Morgan, elle l'avait jugée comme une petite n'avant pas beaucoup de défense et, non contente de l'habiller elle aussi, elle lui donnait des marques d'amitié et l'avait prise discrètement sous son aile.

Elle demanda donc à Gabin ce qu'il comptait mettre dans la cagnotte pour le cadeau des dix-huit ans de la Môme. Il répondit qu'il ne mettrait rien, mais la chargea d'acheter pour vingt louis de roses.

Le soir, quand Michèle descendit de sa chambre, Jean l'attendait au pied de l'escalier avec pour vingt louis de roses dans les mains — ça faisait une sacrée brassée et c'était donné avec un si bon sourire que la tristesse de la jeune fille s'envola comme par enchantement.

Le dîner avec toute l'équipe fut un repas de fête, avec cadeaux, gâteau, bougies et champagne, une joyeuse soirée où ne manqua aucun des rites traditionnels. Quand l'heure de se séparer fut venue, Jean dit à son héroïne :

— Tu ne vas pas remonter comme ça toute seule dans ta chambre ! Viens ! je t'emmène danser.

Et quand ils furent dans la boîte de nuit et qu'il l'entraîna sur la piste, elle sut qu'elle allait devenir amoureuse, qu'elle l'était déjà, qu'elle l'était même depuis la rencontre du Fouquet's.

Comme cet homme était séduisant et comme il dansait bien ! Danser avec lui avait le charme d'un beau rêve, c'était un tel plaisir que le temps, comme dit le poète, suspendait son vol...

— Il n'y a plus personne, chuchota-t-il à sa partenaire à la fin d'une longue succession de valses, de tangos et de slows. L'orchestre ne joue plus que pour nous et les garçons bâillent. Ils vont nous mettre à la porte si nous ne nous en allons pas.

Ils sortirent dans la rue déserte. La nuit s'achevait. Il pleuvait un peu, et les pavés du Havre luisaient, comme dans le film. Ils marchèrent vers l'hôtel, bras dessus bras dessous, sans parler. Et puis, devant la porte, Jean dit un mot, un seul :

— Alors ?

Pour la jeune fille, ce fut un mot de trop, une question qui appelait une réponse qu'elle aurait voulu ne pas avoir à donner. Dieu sait qu'elle se sentait amoureuse et qu'elle n'était pas une oie blanche. Elle avait un ami, un acteur dont elle s'était éprise en un temps où elle fréquentait le célèbre cours Simon — plus par besoin d'aimer que par réelle préférence — et avec qui, aussi bien elle avait envie de rompre car il était ombrageux et jaloux. Néanmoins elle avait... on pourrait appeler ça des principes, et c'en était en effet, héritage de son enfance bourgeoise et respectueuse des familles : Jean était un homme marié, il n'était pas libre. Le temps n'était pas si lointain où Simone Roussel, se faisant emmener en voiture de Dieppe à Paris par un homme qu'elle ne connaissait guère, avait à peine imaginé que cet homme pouvait n'être qu'un méchant loup à l'affût d'une jolie petit chaperon rouge, puisqu'il était marié. Certes, elle était maintenant moins innocente et ne pensait plus que le mariage empêchait les hommes de folâtrer. Mais c'était ça, justement. La soirée avait été merveilleuse et parfaite. La conclure par des folâtreries paraissait presque indigne. Indigne de ce qu'elle ressentait. Sa morale et la splendeur diffuse de ce qu'elle éprouvait s'additionnaient pour lui faire refuser une aventure à la sauvette. Elle était tout attristée et pensait que, le lendemain, elle se traiterait peut-être de gourde, mais c'était comme ça.

Mais qu'arriva-t-il ensuite ? Elle dit qu'elle n'oublierait

jamais cette soirée. Jean n'insista pas et, en la quittant, il conclut qu'elle était quand même une drôle de petite môme... Et puis la vie reprit son cours d'avant, et le tournage aussi. Mais au lendemain d'un soir où Pierre Brasseur, homme d'esprit dont la verve devenait facilement méchante et sarcastique quand il avait trop bu, offensa publiquement la jeune actrice, il se passa ceci : les besoins du scénario exigeaient que Gabin giflât Brasseur ; il le fit et ce ne fut pas du chiqué, loin de là ! Brasseur en flageola si fort qu'on put lire plus tard dans *L'Histoire du cinéma* de René Jeanne et Charles Ford que *jamais on n'avait vu un acteur recevoir une gifle comme Pierre Brasseur.* Comme quoi fiction et réalité peuvent s'unir pour rendre inoubliable un bref moment de cinéma.

Le fait se répéta en une autre occasion, pour le même *Quai des brumes.*

Entre-temps, Michèle avait quitté Le Havre, ses scènes d'extérieur étant toutes tournées. Elle n'était pas partie de gaieté de cœur, car les autres demeuraient ; elle aurait pu rester, et Jean lui avait dit, de sa voix irrésistible :

— Alors, la Môme, tu t'en vas ?

C'était tentant de dire non, plus sage de dire oui. En la circonstance, la sagace et vigilante Micheline l'aida à se décider et à résister à la tentation. Elle l'accompagna à la gare, lui acheta des revues et l'installa dans son compartiment. Elle le savait bien que la Môme avait autant envie de rater son train que de s'en aller, que son cœur balançait dans une totale indécision. On dit qu'il faut s'abstenir dans le doute... C'est ce que firent les deux femmes, l'une aidant l'autre.

Le film fut terminé aux studios de Saint-Maurice, dans la banlieue parisienne. Trauner y avait édifié de merveilleux décors qui se raccordaient parfaitement, grâce à sa science de la perspective et de l'illusion, avec ceux, naturels, du Havre. Celui de la fête foraine fut le théâtre d'une péripétie qui laissa à Michèle Morgan un souvenir aussi inoubliable que celui de la soirée de ses dix-huit ans. Devait s'y tourner ce jour-là la scène du premier baiser de Jean le fuyard et de la petite Nelly.

L'homme Gabin se montrait d'humeur taquine — à moins qu'il ne fût décidé à poursuivre, sans avoir l'air d'y toucher, une entreprise de séduction commencée de

49

longue date — avec peut-être les mêmes hésitations que celles de sa partenaire et la même conviction que leurs sentiments méritaient mieux qu'une brève rencontre...

Quoi qu'il en soit, il avait prévenu Michèle que le plan du jour était celui du baiser et que Carné ne supporterait pas qu'il fût joué à la flan. Carné voudrait un vrai baiser. Savait-elle seulement ce que cela voulait dire ? Y arriverait-elle ?

— Je te parie qu'elle ne sait pas embrasser : elle est trop jeune, lança-t-il avec un clin d'œil à l'ange gardien Micheline.

C'est comme ça qu'on pique les femmes ; Michèle était agacée, mais elle se sentait également l'objet d'un défi, pensait qu'elle le relèverait, pour se dire ensuite qu'il n'oserait jamais, devant tous les gens rassemblés sur un plateau pour une prise de vue, lui donner un vrai baiser.

De cette manière, c'est morte de trac et d'émotion qu'elle affronta l'épreuve. Carné donna le départ de la scène et Gabin lança la fameuse réplique :

— T'as de beaux yeux, tu sais...

— Embrasse-moi..., dit Nelly — dit Michèle.

Et il le fit. Il lui donna un vrai baiser, un baiser d'amoureux, un baiser d'enfants qui s'aiment et s'embrassent avec la passion de la première fois.

— C'est bon ! Coupez ! dit Carné.

Et cette scène également sans chiqué rejoignit celle de la gifle, peut-être pas dans de savants ouvrages sur le cinéma, mais dans les souvenirs ravis des spectateurs.

Ceux-ci en tout cas décrétèrent que Morgan et Gabin formaient le couple idéal du cinéma français ; et, de là à penser qu'ils l'étaient aussi dans la vie, il n'y avait qu'un pas, qu'ils franchirent allégrement. Les démentis des deux protagonistes n'y firent rien.

Pourtant, leur baiser à la fête foraine dans *Quai des brumes* était leur premier — et leur dernier avant longtemps. Le film, en faisant de Michèle Morgan une jeune première d'un genre nouveau, en avait aussi fait une vedette que l'on s'arrachait, et Denise Tual, devenue son imprésario, recevait des quantités de propositions, même des Etats-Unis. Le premier contrat signé fut celui de *L'Entraîneuse*, une production de la UFA qu'on tournerait à Berlin et sur la Côte d'Azur. Quant à Gabin, il allait retourner au Havre pour être le héros de *La Bête humaine*. Essayez de mener à bien une tendre romance dans de telles conditions !

La Bête humaine, d'après le roman de Zola du même titre, c'est Carné qui pensait le tourner, mais il eut des scrupules parce que Jean Grémillon — le metteur en scène qui avait fait *Gueule d'amour* avec Jean Gabin et Mireille Balin — travaillait depuis longtemps à un sujet — *Train d'enfer* — qui se passait également dans le milieu ferroviaire. Carné aimait bien Grémillon, qui l'avait soutenu dans ses débuts, et il craignait de marcher sur ses brisées. Cependant qu'il hésitait, Renoir accepta de réaliser *La Bête humaine*. Ce n'est pas la première fois que nous voyons la même poignée d'hommes, inventeurs d'un certain cinéma de l'immédiate avant-guerre, se disputer les mêmes sujets — et c'était fatal parce que c'étaient ceux qui exprimaient le mieux leur conception métaphysique et esthétique. Cette fois, c'est Renoir qui l'emporta par sa promptitude.

Insérée dans la saga des Rougon-Macquart, l'histoire était celle de Jacques Lantier, mécanicien de locomotive sur la ligne Paris-Le Havre. Pour Gabin, son rôle matérialisait un rêve d'enfance, celui qu'il nourrissait en regardant passer les trains à la limite du jardin de son père à Mériel. Comme cela s'était passé pour *La Bandera*, lorsque Julien Duvivier avait fait vivre ses acteurs au contact de la Légion espagnole avant le tournage pour qu'ils s'imprègnent des manières des soldats, il apprit d'abord à conduire une locomotive.

Les journalistes s'intéressèrent à l'affaire, et ils exagérèrent en écrivant que Gabin était capable de mener un convoi à cent cinquant kilomètres à l'heure — allure interdite à l'époque ! — mais, en vérité, il apprit tous les gestes, toutes les manœuvres, avec de vrais hommes du rail. Il savait ouvrir le régulateur et mettre le train en marche, garder la main sur le volant du changement de marche, modérer, accélérer la vitesse d'un mouvement continu, l'œil tantôt sur le manomètre tantôt sur la voie, domptant la machine d'acier comme il avait vu le faire par les hommes qui passaient, le temps d'un éclair sur la voie, à Mériel.

C'était tout de même un drôle de métier, celui d'acteur.

51

Est-ce pour cela que le père l'avait tellement poussé ? Parce qu'on y vivait dix vies, cent vies, qu'on y apprenait les gestes de tous les métiers, qu'on y vivait des amours diverses avec tant de femmes ?

CHAPITRE V

La Bête humaine, Jean Renoir l'avait lu peu après la fin de la Grande Guerre, dans le midi de la France où son père était venu terminer ses jours. Il ne songeait pas encore à embrasser le métier de cinéaste, mais la richesse du roman l'avait ébloui et subjugué. Lorsque — près de vingt ans plus tard — le moment vint pour lui d'en faire un film, il se sentit investi d'une tâche pas très commode mais fascinante, dont il prit toute la responsabilité : lui seul signa l'adaptation et les dialogues.

Il connaissait très bien le roman mais connaissait également les impératifs techniques, esthétiques et financiers du cinéma. Il lui fallait respecter l'univers et l'esprit de Zola sans déborder du cadre horaire d'un film et sans dépasser son budget. Le roman foisonnant de personnages et de sujets annexes, il prit le parti de s'en tenir à l'intrigue principale : celle qui concerne le sous-chef de gare Roubaud, sa jeune épouse Séverine et Jacques Lantier, mécanicien de locomotive sur la ligne Paris-Le Havre. Des notes écrites par l'auteur sur la genèse de son livre et la biographie de ses personnages l'avaient heureusement confirmé dans l'idée que c'était bien là l'essentiel de l'histoire : celle d'un meurtre commis dans un train.

Le meurtrier était Roubaud ; sa complice, Séverine ; la victime, l'homme qui avait séduit celle-ci alors qu'elle n'était qu'une enfant ; et le témoin involontaire, Jacques Lantier, fils aîné de la Gervaise de *L'Assommoir*, un jeune homme doux, sobre, fort capable dans sa profession — mais chargé d'une hérédité si lourde qu'elle met en lui, juxtaposée à ses qualités, une « bête humaine » dont l'obsession est de tuer une femme.

Parce que Séverine l'émeut et qu'il en devient amoureux, Lantier ne dit pas ce qu'il sait au juge ; plus tard, il devient l'amant de la jeune femme, un amant heureux, comblé, et qui se croit guéri de son trouble mental ; cependant que Roubaud, après son crime et le non-lieu qui clôt l'instruction, devient veule et oublie dans le vice du jeu l'honnête homme qu'il fut jadis ; Séverine met alors dans la tête de son amant de supprimer ce mari encombrant, mais au moment de lui obéir, repris par sa hantise, c'est la jeune femme que Lantier assassine.

Telle était la trame du roman qui comportait, outre ses autres personnages aussi fouillés que les principaux, des scènes à grand spectacle qui feraient peut-être les délices de certains cinéastes de notre temps, mais dont Renoir ne pouvait, pour des raisons diverses, envisager la réalisation : une tempête de neige bloquant l'express sur sa voie ferrée ; un déraillement meurtrier provoqué par les agissements d'une femme jalouse ; une fin démente et symbolique : la bataille de Lantier et de son chauffeur s'entre-tuant sur le tender de leur locomotive, qui poursuit son chemin sans conducteur, entraînant après elle dans sa course folle dix-sept wagons surchargés de soldats montant au front — au-devant de leur défaite de 1870.

Pour des raisons d'économie mais aussi d'esthétique, Renoir transporta l'action en 1938 : le matériel ferroviaire du Second Empire était difficile à reconstituer et ne possédait pas la puissante beauté qu'avaient acquise les trains au vingtième siècle. Les catastrophes furent également supprimées et la fin originale remplacée par le suicide de Lantier et le tour de force de son chauffeur qui parvient à conduire seul le train à bon port.

Mais la vedette demeurait, comme dans Zola, la locomotive, les rails, la vie d'un monde un peu en marge — les gens du chemin de fer — rythmée par l'horaire des trains, leurs exigences, leur bruit évocateur. La jeune S.N.C.F. et la Fédération des cheminots avaient apporté au film toute l'aide possible : les décors de la gare du Havre et les leçons nécessaires à Gabin et à Carette — le chauffeur — pour qu'ils pussent tourner sans doublure les scènes se passant sur la locomotive.

Dans un contexte social à la fois familier et mystérieux, Jean Gabin avait un rôle à sa mesure tragique. Jacques Lantier, homme semblable à des milliers de travailleurs, était cependant en proie à sa fatalité : capable de colères démentes, promis à sa folie meurtrière et à une mort violente — comme l'était l'acteur dans nombre de ses films précédents. Jean Renoir ne recherchait pas spécialement les sujets noirs. Il était moins fondamentalement pessimiste que ses confrères Duvivier ou Carné : dans *Les Bas-Fonds*, dans *La Grande Illusion*, Gabin s'en tirait à la fin. Mais, dans *La Bête humaine*, il lui avait rendu ses habituels attributs de violence. L'époque y était bien pour quelque chose : 1938, les menaces du fascisme. Mais il y avait aussi la fascination exercée sur lui par Zola. Il était convaincu que la fatalité scientifique chère à cet auteur — les facteurs héréditaires — s'apparentait tout à fait à la fatalité des anciens Grecs qui anime l'histoire d'Œdipe et des siens. Et, dans ce sens, Gabin répondit à toutes ses espérances, ce dont témoignent ces merveilleux éloges : *Je regrette une chose : c'est que Zola ne puisse voir Jean Gabin interpréter ce personnage. Je crois qu'il serait content. Car les acteurs qui interprètent les tragiques grecs ont pour eux le costume, le fait que l'action joue dans des temps révolus et la possibilité d'employer un langage magnifique, mais si éloigné de la vie courante qu'il facilite grandement la création de cette impression de noblesse qui doit saisir le spectateur. Etre classique au sens tragique du mot, et en restant coiffé d'une casquette, vêtu d'un bleu de mécanicien et en parlant comme tout le monde, c'est un tour de force que Gabin a accompli en jouant le rôle de Jacques Lantier dans « La Bête humaine ».*

Ce tour de force, il l'avait réussi grâce à son grand talent, grâce à son apprentissage réel sur la machine, grâce peut-être au moteur de ses rêves d'enfant — mais aussi parce que le personnage féminin, Séverine, avait une intensité dramatique inspirante.

Séverine, Jean Renoir en était fou. Il aimait les caractéristiques que lui avait données Zola, déjà nettement déterminées dans les notes du romancier : *Le mieux serait de faire de la femme une douce, une affectueuse, une passionnée dans le calme. De cette façon, l'horrible aventure tomberait dans une créature de paix... Une femme tendre, bonne, calme, faite pour vivre d'affection et de soumission, avec un fond de sensualité.*

Dans le roman, elle avait pris les traits définitifs d'une femme de vingt-cinq ans, grande, mince et souple, pas jolie au premier abord mais séduisante par son charme, ses larges yeux bleus étranges sous une épaisse chevelure noire. Elle était bien évidemment la femme du destin, mais rien ne le faisait présumer dans son apparence gracieuse, candide et désarmée. C'est cependant à cause de cette apparence qui l'avait abusé et qui, soudainement, rendait si monstrueuse la révélation de ce qu'elle avait été avant leur mariage que l'honnête Roubaud perdait la tête et devenait un assassin. Plus tard, Lantier, pourtant convaincu du crime des époux, ne les dénoncerait pas. Charmante, séduisante comme malgré elle, elle mettait dans sa poche tous les hommes de l'histoire de Zola, les conduisant calmement mais sûrement vers leur fin sanglante. Et, de même, elle avait mis dans sa poche Jean Renoir et Jean Gabin dont elle stimula les dons créateurs.

Dans le film, c'est Simone Simon qui créa son rôle. Marcel Carné affirme dans ses souvenirs qu'au moment où il croyait réaliser l'œuvre, c'est à elle qu'il pensa pour Séverine. Renoir, dans ses écrits, jure ses grands dieux qu'il ne voulait personne d'autre qu'elle — ce qui prouve pour le moins qu'elle *était* Séverine.

Elle avait commencé sa carrière d'actrice au début de la décennie, mais c'est en 1934 qu'un film de Marc Allégret, *Lac aux dames*, l'avait sacrée vedette en même temps que son partenaire Jean-Pierre Aumont. Elle apparut à celui-ci comme un *tendre bourgeon qui semblait mis au monde pour jouer les ingénues pures et perverses de Colette. Elle offrait à la caméra un visage de pékinois saupoudré de taches de rousseur, une personnalité, une sincérité et en même temps une rouerie que balayaient toutes les conventions théâtrales des actrices de ce temps.* Les journalistes signalaient son originalité parmi tant de fades ingénues, son profil court, ses dents en grains de riz. Etait-elle naïve ou rouée ? L'un et l'autre. Sacha Guitry avait écrit d'elle : *On dirait le survivant d'une portée de jeunes chats que l'on a gardé pour sa gentillesse.*

Renoir aurait sûrement pu faire sienne cette définition délicieuse. Car, si Simone Simon lui paraissait être physiquement Séverine, c'est parce que l'une et l'autre étaient à son regard non des pékinois mais des chattes au poil soyeux qu'on a envie de caresser. Séverine était grande et Simone plutôt petite, et il fallut teindre en noir les cheveux blonds de la petite Puck de *Lac aux dames,* mais l'important était qu'elles avaient toutes deux, d'une chatte, l'œil clair, tendre et énigmatique, les manières câlines sereinement capricieuses et irrésistibles.

Tout le monde s'accordait sur les qualités rares de Simone Simon. Dès sa performance de *Lac aux dames,* les Américains lui avaient fait des propositions et, depuis 1932, elle était sous contrat avec la Fox, vivant et travaillant à Hollywood. Mais là où Renoir se distinguait des autres, c'est qu'il rêvait d'elle pour un rôle dramatique, alors que l'opinion générale était que sa fantaisie et sa grâce la destinaient uniquement aux comédies légères et aux opérettes. Hollywood ne l'avait utilisée que dans cette optique, dans des films certes charmants mais qui ne collaient peut-être pas entièrement à ses ambitions artistiques.

Jean Renoir eut la chance de faire partager ses vues par ses producteurs, les frères Hakim, qui télégraphièrent à la jeune vedette. Celle-ci accepta d'emblée. En signant son contrat avec la Fox, elle avait déclaré qu'elle espérait bien avoir en Amérique des rôles où elle serait en savates et vieilles robes — espoir déçu. De surcroît, elle s'était trouvée récemment en butte aux avanies des puissantes et puritaines ligues de femmes qui accusaient volontiers les actrices européennes — Marlène Dietrich en avait su quelque chose — d'immoralité dans leur vie privée. Revenir tourner en France était donc bien plaisant à plus d'un titre, et surtout dans un rôle qui, s'il n'était pas en savates car Séverine est une femme de bonne éducation, coquette et bien mise, était rien moins que fantaisiste et superficiel. A la vérité, elle connaissait de longue date le roman de Zola et Séverine était une des héroïnes qu'elle rêvait d'incarner. Vous pensez si l'enthousiasme de Renoir redoubla !

Elle fit la traversée sur le *Normandie* et arriva le 8 août. Gabin et Renoir étaient venus l'attendre au Havre, joyeux, émus, vaguement inquiets. Simone, il la connaissaient et savaient qu'elle était une femme délicieuse qu'ils auraient plaisir à revoir. Mais c'est avec Séverine qu'ils vivaient en esprit depuis des semaines, avec la douce, calme et menteuse Séverine ; et c'est elle qu'ils voulaient trouver au rendez-vous. L'attente leur fut longue et anxieuse ; ils étaient arrivés de trop bonne heure et le superbe *Normandie* mettait du temps à accoster. Après des marches et des contremarches, Jean Renoir se retrouva sur le transatlantique, se perdit dans des coursives et des salons, puis soudain il la vit, vêtue d'un tailleur gris et chapeautée de bleu... mais laissons-le raconter lui-même cette vision, avec ses mots d'homme fervent, artiste, modeste et passionné par les êtres : *Elle est assise dans un coin, très gênée par l'accueil triomphal que lui font des tas de journalistes. On dirait une petite fille à qui ont fait passer un examen et qui pense : « Quand je serai rentrée à la maison, j'aurai bien gagné une tartine de confiture. » Elle me voit et tout de suite je comprends qu'il n'y a pas de barrière. On dirait que nous avons passé des années et des années ensemble. Et mon cœur défaille de joie. Cette femme-là, si gentille et si simple, c'est Simone Simon, je la tiens, et elle jouera Séverine, et ce sera magnifique.*

Ils n'avaient pas quitté le bateau que, déjà, ils parlaient du film. Ils rentrèrent à Paris en voiture et Gabin, *le fraternel Gabin*, comme l'appelle Renoir, les emmena dîner au bois de Boulogne. Ils demeurèrent longtemps tous les trois à se raconter leurs vies, à se retrouver, à se charmer mutuellement. Le lendemain commencerait la merveilleuse aventure qui consiste à tourner un beau film, à donner la vie et la vérité à des personnages d'emprunt, à tendre de toutes ses forces vives vers ce but, à former pendant un temps donné une famille unie par des joies et des drames et condamnée à se disperser, inéluctablement, ne laissant à ses membres appelés vers d'autres familles que des souvenirs. C'est ça la vie d'artiste.

Pour fêter trente-cinq ans d'entente cordiale avec l'Angleterre, des soirées furent données dans la capitale française et à Londres. Dans cette dernière ville, on inaugura un cinéma, « le Paris », qui ne donnerait que des films français en version originale. Le premier, présenté en grand gala en présence de Simone Simon, de Jean Gabin et des frères Hakim, fut *La Bête humaine*.

Mais déjà Jean Gabin était pris par le tournage du *Récif de corail*, un film de la UFA réalisé en partie aux studios de Neubabelsberg à Berlin ; et un contrat qu'un producteur lui avait signé ainsi qu'à Marcel Carné au lendemain du succès de *Quai des brumes* attendait d'être concrétisé.

Dans *Le Récif de corail*, il retrouva Michèle Morgan, mais pas l'atmosphère envoûtante et amoureuse qui avait entouré le tournage du film de Carné. Berlin s'y prêtait mal, et même à la « Pension impériale », hôtel d'élection de la plupart des acteurs français travaillant à Berlin, le malaise commençait à s'introduire. C'était pourtant comme un coin de patrie au charme suranné où le maître d'hôtel, Joseph, ex-valet d'Oscar Wilde, menait le jeu en français, avec une psychologie évidente et une autorité discrète, mais, même de là, on entendait le bruit des bottes. Michèle Morgan y avait vécu les journées angoissantes qui avaient précédé les accords de Munich en septembre 1938 ; et, quand elle y revint deux mois plus tard pour *Le Récif de corail*, elle y entendit les échos assourdis mais lourds de sens des grands pogroms de novembre. Le climat général n'était pas propice au romantisme ; et le plan de travail du film, par un capricieux effet du hasard, ne laissa guère aux amoureux du Havre d'occasions de se retrouver.

Ils repartirent chacun de leur côté, en hâte, car les contrats les appelaient, et leurs agendas de 1939 n'avaient pas de pages blanches. Feyder avait retenu Michèle pour *La Loi du Nord*, qui l'emmena jusqu'en Laponie, et Jean était attendu par Marcel Carné à Paris pour *Le jour se lève*.

Ce n'est pas *Le jour se lève* qu'il aurait eu envie de tourner, mais *Martin Roumagnac*, un roman de Pierre-René Wolf, dont il avait acheté les droits. C'était l'histoire, dans une petite ville, d'un entrepreneur de maçonnerie et d'une Parisienne qui a trop de sex-appeal. Gabin y tenait beaucoup, mais Carné avait trouvé que le livre était sans intérêt. Quand à Jacques Prévert, avec qui le metteur en scène tenait toujours à faire équipe, il avait dit après lecture :

— Si Gabin et toi, vous voulez tourner ça, vous le ferez sans moi.

Il avait une idée personnelle, Prévert, celle d'un film de gangsters dont il restait à imaginer l'intrigue mais dont il voyait déjà fort bien les personnages et surtout les décors : une auberge hantée, un bal-musette, l'église des Baux-de-Provence la nuit de Noël. Hélas, le scénario semblait vouloir demeurer à l'état d'atmosphère, et Carné voyait passer le temps avec inquiétude en voyant que son ami Prévert n'arrivait pas à bâtir son histoire.

C'est alors que son voisin de palier vint frapper à sa porte. Il le connaissait à peine car il venait d'emménager dans un nouvel appartement, un studio d'artiste tout en haut de la rue Caulaincourt. L'homme, dont il savait par des amis communs qu'il avait mené une vie d'aventurier avant de devenir marchand de peintures naïves, se présenta ainsi :

— Je m'appelle Jacques Viot. J'ai écrit quelques synopsis de films. J'en ai même écrit beaucoup, mais celui-ci, je crois, devrait vous intéresser.

Il tendit trois pages au metteur en scène. Trois petites pages qui racontaient une idée qui ébaubit Carné et l'enthousiasma : le film commençait par la fin, et son histoire se déroulait à la faveur de retours en arrière — ce qu'on appellerait plus tard *flash-back* lorsque le procédé serait entré dans les habitudes des faiseurs de films — mais il était alors d'une extrême nouveauté, le premier du genre, à ce que prétend Carné.

Celui-ci n'hésita pas un instant. Gabin voulait faire *Martin Roumagnac*, Prévert un film de gangsters, mais lui voulut sur-le-champ faire *Le jour se lève* — tel était le titre donné par Viot à son histoire — et il le ferait.

Prévert fut un peu vexé ; le producteur, Frogerais, fut contrarié d'avoir à payer un nouveau scénario alors qu'il banquait déjà pour celui des gangsters ; quant à Gabin, il dit que si le « Môme » aimait, il était d'accord. Il tenait à *Martin Roumagnac*, mais il savait aussi que ce qui était bon pour Carné était bon pour lui, qu'ils formaient ensemble — et avec Jacques Prévert — une « famille » d'une rare efficacité. Et Carné avait incontestablement acquis la grande cote. Un journaliste le décrivait comme *le jeune metteur en scène qui, fait unique, n'a tourné que des succès.* Il venait de sortir *Hôtel du Nord*, avec Annabella et Jean-Pierre Aumont, et une jeune femme qu'il avait connue dans un film de Feyder lorsqu'il était l'assistant de celui-ci : Arletty. *Hôtel du Nord* avait fait d'elle, du jour au lendemain, une vedette. Pour Carné, elle était devenue aussi une interprète qu'il aimait affectueusement et qu'il préférait à toute autre.

Il la reprit donc dans *Le jour se lève*. Il engagea également Jules Berry pour un personnage louche de dresseur de chiens, et Jacqueline Laurent pour celui d'une orpheline à l'existence ambiguë dont Gabin, ouvrier sableur nommé François, est devenu amoureux. Le film raconte la dernière nuit de François, enfermé dans sa chambre du cinquième étage d'un hôtel que cerne la police parce qu'il vient de tuer Valentin, le dresseur de chiens. Au petit jour, l'assassin se donne la mort, après avoir revu, au fil du siège qui lui est livré, tous les événements qui l'ont amené à son geste fatal.

Le jour se lève, présenté au public en juin 1939, déconcerta la critique qui fut très partagée dans ses appréciations. Le film, très noir, tomba sur des Français pressentant qu'ils vivaient leurs dernières semaines de paix et auraient préféré quelque chose de plus distrayant ; et le procédé des retours en arrière ne fut pas toujours bien assimilé par le grand public. Bref, *Le jour se lève* eut un succès moindre que *Quai des brumes* — bien que Carné trouvât son nouveau film supérieur à celui-ci — et qui s'arrêta *de facto* lorsque la déclaration de guerre entraîna la fermeture de toutes les salles de spectacle.

Jean Gabin avait été bouleversant dans un rôle qui, comme souvent, en faisait un malchanceux dépassé par les événements de sa vie, que son destin et son tempérament jaloux amènent à tuer puis à se donner la mort. Les dialogues de Jacques Prévert et les décors de Trauner avaient, comme d'habitude aussi, largement contribué à l'expression du réalisme poétique cher à Marcel Carné.

Trauner et Prévert se retrouvèrent au générique du

film suivant de l'acteur, mais le réalisateur en était Jean Grémillon, un Breton à la carrure solide qui avait déjà fait avec lui *Gueule d'amour*. Cette nouvelle œuvre s'appelait *Remorques*, elle était tirée d'un roman de Roger Vercel et contait l'histoire d'un capitaine de remorqueur pris entre les exigences de son métier, l'amour de sa femme et l'attrait qu'il éprouve pour une autre. L'épouse était Madeleine Renaud, l'autre femme Michèle Morgan. Comme celle de *Quai des brumes,* l'action se déroulait dans un port. Mais le port était Brest, on tournerait au mois d'août et la mer servirait davantage de décor que les rues au pavé mouillé. Ce serait le cinquième film de Michèle Morgan depuis que celui de Carné l'avait propulsée au firmament des étoiles.

Elle en était encore au quatrième, *Les Musiciens du ciel*, lorsqu'elle rencontra Grémillon, car il n'y aurait pas un jour d'interruption entre les deux : on entamerait les extérieurs de *Remorques* à Brest dès que la dernière image des *Musiciens* serait dans la boîte.

Le metteur en scène plut d'emblée à la jeune actrice par sa façon directe d'aborder les problèmes — et parce qu'elle savait que lui et Gabin étaient amis. Ne serait-ce qu'elle eût aimé prendre quelques vacances, l'idée de tourner *Remorques* lui souriait — et aussi celle de revoir Gabin. Dans leurs relations épisodiques, *Le Récif de corail* avait été une courte rencontre professionnelle sans vrais contacts humains, et cela lui avait plu car elle n'avait pas désiré que quelque chose de hâtif vînt abîmer ses beaux souvenirs de *Quai des brumes*. Mais maintenant, dans les quelques semaines qui la séparaient du commencement de *Remorques*, elle se sentait habitée par un sentiment agréable — mal défini mais agréable —, en vérité un sentiment d'attente. C'est très agréable, quelquefois, d'attendre. Depuis quelque temps, elle avait quitté l'appartement familial et s'était installée toute seule, comme une grande, dans un deux-pièces de la rue Raynouard.

Un matin, alors qu'elle s'apprêtait à sortir pour aller au studio, le téléphone sonna. C'était Jean qui l'invitait à dîner pour le soir. Quand elle rentra de son travail à la fin de la journée, une brassée de roses aussi énorme que celle de ses dix-huit ans illuminait son petit appartement. Et à peine s'était-elle changée que le chevalier aux roses faisait son apparition, superbement élégant.

Le dîner, les paroles échangées, les sourires, les gestes, les regards, tout entre eux exprimait un amour qui s'avoue enfin et qui s'impatiente. Après le repas ils allèrent danser, peut-être pour abolir le temps passé depuis leur bal du Havre ; et ils rentrèrent ensemble par le bois de Boulogne, dans l'aube triomphante de l'été. Jean Gabin ne posa pas de question intempestive. Questions et réponses étaient d'ailleurs superflues. En tout état de cause, *c'est séduisant un homme qu'on séduit, j'étais conquise*, avoue Michèle Morgan. Etre amoureuse, se sentir aimée, désirer, être désirée, c'est l'aventure la plus simple du monde, et la plus exquise. Jean Gabin avait trente-cinq ans, Michèle dix-neuf. Ils avaient l'un et l'autre des regards magnifiques, étaient séduisants, célèbres et désignés par la vox populi comme le couple parfait du cinéma français — mais le plus important dans l'instant était qu'ils voulaient vivre un bout de chemin ensemble.

Cette fois, les principes étaient balayés. La jeune fille s'était libérée de son fiancé du temps du *Quai*. Gabin, de son côté, souhaitait mettre fin à un mariage qui avait mal tourné et se préparait à divorcer. Rien ni personne ne les empêchait de vivre leur liaison le plus longtemps possible ; Michèle, pour la première fois de sa jeune vie, éprouvait le besoin d'une certaine forme de durée, et sans doute en était-il de même de son partenaire.

Pour l'instant ils s'aimaient, en toute innocence et sans restriction. Ils purent passer deux week-ends ensemble, un à Auron, au-dessus de Nice, l'autre à Deauville ; et puis ils avaient devant eux, sinon la vie, au moins le temps du tournage...

Ce fut un temps de parfait bonheur. Gabin était détendu et joyeux : il aimait la mer, le film qu'il tournait, son rôle de capitaine, « son » bateau et sa jolie Michèle. Tout allait pour le mieux — mais pas dans le meilleur des mondes. Le tournage avait commencé en août. Début septembre ce fut la guerre et la mobilisation. Le film fut interrompu et Jean Gabin rejoignit sa compagnie de fusiliers-marins. C'est ça la vie tout court.

CHAPITRE VI

Peut-être, si le bonheur avait eu le temps de s'installer, le cours de deux existences eût été changé. Peut-être... Car, par deux fois déjà, Jean Gabin avait éprouvé que les conditions de la vie d'acteur ne sont pas propices au mariage et aux unions durables. La guerre cependant brusquait les choses, et la séparation fut bien douloureuse. Mais lorsqu'elle cessa pour un temps, il fut clair que le climat avait déjà changé.

Elle cessa parce que, la guerre étant d'abord une « drôle de guerre », Jean Grémillon demanda et obtint pour le marsouin Gabin une permission d'une durée suffisante pour mener à bonne fin le tournage de *Remorques*. En avril 1940, le travail reprit donc, et avec lui la romance ; mais l'incertitude et l'inquiétude latentes troublaient les sentiments et donnaient aux plaisirs un goût fiévreux.

A certaines paroles, Michèle Morgan croyait deviner que l'acteur n'appréciait pas tellement le fait d'être permissionnaire alors que la marine française se battait glorieusement à Narvik. Elle percevait aussi ce que son extrême jeunesse lui avait permis de se masquer : qu'un Gabin existait qu'elle ne connaissait pas, bougon, impatient et entêté. Pendant que la guerre les avait séparés, son amie Nicole Ferrier, qui était la nièce de Jean, lui avait parlé de son oncle, et elle avait pressenti qu'il y avait deux Gabin, le sien qui était tendre, gai et sentimental, et un autre.

Néanmoins, lorsque Denise Tual, son imprésario, lui rappela qu'elle avait un contrat signé avec la R.K.O. et que le moment était peut-être venu de répondre à l'appel de Hollywood, elle éluda la réponse. Quitter Jean, le pays où vivait Jean, était tout simplement impensable.

Et puis vint mai 1940, la guerre plus drôle du tout mais tragique. Michèle emmena sa famille à La Baule, où elle avait acheté une maison. Elle n'osa pas demander à Jean de l'y suivre et il ne le lui proposa pas. Il avait toutes sortes de raisons pour cela — des raisons militaires, professionnelles et personnelles. Marin en permission mais encore mobilisé, il n'avait pas fini de post-synchroniser *Remorques*, dont toutes les images avaient été prises, mais à qui manquaient les finitions. Il avait aussi une épouse, une maison à Sainte-Gemme, près de Dreux, des affaires à régler. Sait-on comment régler ses affaires quand règne un chaos comme celui de mai et juin 1940 ? Non, mais on espère, on essaie, on se dit que l'ennemi sera bien stoppé à un moment ou à un autre, et qu'on y verra plus clair alors...

On sait ce qu'il en fut. Le 3 juin, Micheline Bonnet se trouvait au studio de Boulogne où elle attendait son patron pour les ultimes synchronisations du film. C'est ce jour-là que furent bombardées les usines Renault toutes proches, et l'habilleuse commençait à douter que le travail se déroulerait normalement lorsque Gabin lui téléphona que les Allemands avaient aussi bombardé l'école de Saint-Cyr lui coupant la route alors qu'il venait de Sainte-Gemme. Micheline et l'acteur se dirent au revoir, ignorant que ce « revoir », ce serait pour dans cinq ans.

En attendant, Gabin fit comme tout le monde. Il rentra à Sainte-Gemme, empaqueta ses affaires et partit avec son épouse vers le sud pour être du bon côté de la barrière quand le front serait stabilisé. Il alla ainsi jusqu'au cap d'Antibes où il fut l'hôte du chocolatier Menier, dont la compagne était une amie de Doryane. Les événements ne s'arrangeaient pas, sur aucun plan. La guerre était momentanément perdue, il semblait que Sainte-Gemme eût reçu des bombes, et les époux Gabin, avec beaucoup d'acrimonie, ne songeaient qu'au divorce. Au point de vue professionnel, les choses commençaient à se dessiner, et ce n'était pas un destin plaisant : les Allemands vainqueurs entendaient bien rouvrir les studios de cinéma ; ils tenaient à ce que la France occupée eût une vie artistique. D'ailleurs, il existait depuis longtemps sur le plan cinématographique une collaboration active entre les deux pays : la UFA, on le sait, avait un département français, et toutes les vedettes parisiennes avaient tourné un jour ou l'autre à Neubabelsberg. Le tout était de se faire sa religion personnelle sur le point de savoir si les conditions du temps de paix et celles du temps d'armistice étaient semblables, si tourner pour la UFA — ou la Continental, une nouvelle société qui venait de se former — sous la toute-puissance allemande était compatible avec l'idée qu'on se faisait du patriotisme. C'était un problème difficile à résoudre, vrai casse-tête pour les gens trop célèbres. Diverses réponses y furent données, qui eurent des conséquences plus tard. La réponse de Gabin. ce fut non. Il avait tourné beaucoup de films en Allemagne, mais il n'avait aucune envie de remettre ça dans les circonstances présentes. Lorsqu'il fut pressenti par des hommes de la *Propaganda* qui lui suggérèrent de reprendre le fil de sa carrière, il se résolut à gagner les Etats-Unis.

Mais Michèle l'avait précédé sur ce chemin. Après l'Armistice, Marc Allégret lui avait demandé de venir à Cannes pour un projet de film qu'il avait. Beaucoup de jeunes artistes se trouvaient sur la Côte avec l'espérance un peu folle de trouver en zone libre des façons décentes d'exercer leur métier. A la vérité, beaucoup l'exerçaient, vaille que vaille, dans des locaux de fortune ou dans de vrais théâtres, et jamais le midi de la France n'avait connu pareille abondance de spectacles. Michèle Morgan attendait avec confiance que Marc Allégret réalisât son projet, ne doutant pas un instant qu'à celui-là en succéderait un autre, également en zone libre.

Denise Tual, qui avait davantage les pieds sur terre, revint à la charge avec le contrat de la R.K.O. Il fallait saisir l'occasion, profiter de ce que les voyages étaient encore possibles et du fait que la firme américaine appelait la jeune vedette française avec une vraie insistance.

Georges Moncorgé avait appris le métier de charron. Mais il préféra devenir artiste et fit carrière sous le pseudonyme de Gabin. Sa femme, Hélène Petit, avait été plumassière avant de devenir chanteuse. Leur plus jeune enfant fut Jean Alexis Gabin Moncorgé, qui devint illustre sous le nom de Jean Gabin. (*B.N. Arsenal*)

Au Moulin-Rouge, partenaire apprécié de Mistinguett pour sa docilité, le jeune Gabin joua avec elle des sketches réalistes où se profilait l'ébauche des personnages qu'il rendrait célèbres à l'écran dans les années 30. (*Keystone*)

Jean Gabin se maria une première fois avec Gaby Basset, alors qu'il faisait son service dans la marine. Ils furent très heureux pendant plusieurs années et débutèrent ensemble au cinéma dans *Chacun sa chance.* (*Collection Gaby Basset*)

Le deuxième mariage de Gabin, avec Doryane, une très belle vedette du Casino de Paris, devint rapidement orageux, comme n'en témoigne pas cette photo d'un couple paisible qui aimait la campagne et les chats. (*B.N. Bibliothèque de l'Arsenal*)

De 1930 à 1940, Jean Gabin tourna trente et un films et devint une grande vedette qui incarnait de façon bouleversante les héros de metteurs en scène tels que Julien Duvivier ou Jean Renoir (en haut : *Pépé-le-Moko*, 1936 ; en bas : *La Grande Illusion*, 1937.) (*Cinémathèque française*)

Quai des brumes, de Marcel Carné, fit aussi une vedette de Michèle Morgan. Entre les deux acteurs, naquit alors un tendre sentiment. (*Cinémathèque française*)

Avec *La Bête humaine*, Jean Renoir réalisa un projet qui lui tenait à cœur depuis longtemps ; et Jean Gabin apprit à conduire une locomotive, comme il le souhaitait étant enfant. (Ici, avec Carette, Simone Simon et Fernand Ledoux.) *(Cinémathèque française)*

guerre mit brutalement fin à l'ascension de Gabin. Peu soucieux de tourner sous occupation, il émigra à Hollywood, pour s'engager ensuite dans les Forces françaises libres, d'abord comme second maître sur un pétrolier, et puis comme chef de char dans la 2e D.B. *(Rapho)*

A Hollywood, Jean Gabin avait noué des relations amoureuses avec Marlène Dietrich. Ils se retrouvèrent après la guerre à Paris et désirèrent faire un film ensemble. Ce fut *Martin Roumagnac (en haut : Rapho)*. Le film terminé, l'actrice s'embarqua dès le lendemain pour les Etats-Unis. Gabin l'accompagna à l'aéroport d'Orly. *(En bas : Keystone)*

En 1948, Henri Bernstein écrivit pour Gabin une pièce,
La Soif, où il triompha aux côtés de Madeleine Robinson...

... Pendant les répétitions, il avait fait la connaissance fortuite d'une jeune femme très belle, Dominique Fournier. Ils
tombèrent amoureux l'un de l'autre et se marièrent moins
de trois mois plus tard, le 28 mars 1949. (*Roger-Viollet
& Keystone*)

En 1953, avec *Touchez pas au grisbi,* de Jacques Becker, Gabin retrouva l'estime de la critique. Cinq ans plus tard, il regagnait sa place, la première, au box-office...

... En attendant, il tournait une moyenne de quatre films par an, parmi lesquels *La Traversée de Paris,* de Claude Autant-Lara, occupa une place particulière. (*Cinémathèque française*)

Cependant, Gabin menait une vie conjugale heureuse, ponctuée par la naissance de deux filles, Florence et Valérie, et plus tard d'un garçon, Mathias (Valérie à gauche, Florence à droite). (*Coll. Florence de Asis-Trem*)

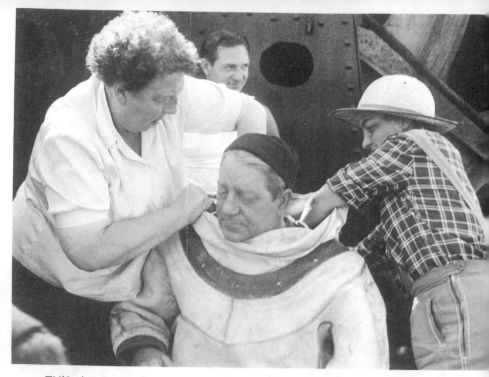

Fidèle à ses amis et ses collaborateurs, Gabin garda la même habilleuse pendant plus de quarante ans. Elle s'appelait Micheline Bonnet. (*Match-Saulnier*)

De même l'unirent à Gilles Grangier une grande amitié et de longues relations professionnelles. Grangier mit en scène douze de ses films. (*Coll. Gilles Grangier*)

En 1958, le producteur Raoul Lévy créa une sensation en réunissant dans un même film, *En cas de malheur*, Jean Gabin et Brigitte Bardot, sacrée star depuis seulement deux ans (*en haut*). Ce fut le dernier film où Gabin tint un rôle d'amoureux dramatique. Mais plus tard, *Le Chat*, de Pierre Granier-Deferre, histoire d'une passion que le temps a rongée, serait aussi un film d'amour (*en bas*, avec Simone Signoret). Malgré son sujet dur, *Le Chat* était un des films préférés de l'acteur, comme *Un Singe en hiver*, de Henri Verneuil (*au milieu*, avec Jean-Paul Belmondo). (*Cinémathèque française & Interpress*)

Au fil des années, Jean Gabin avait acquis une grande et belle exploitation agricole où il élevait des bovins et des chevaux de course. Il était très attaché à cette propriété où il avait fait construire une maison très confortable et des installations modèles.

En 1962, sept cents paysans vinrent nuitamment manifester contre lui et envahir son jardin. Il porta plainte pour violation de domicile. Le procès eut lieu deux ans plus tard. Une foule l'attendait à son arrivée au tribunal, avec son avocat Mᵉ Floriot (*en bas*, page de droite). (*Laurent Maous-Gamma & Match-Garafolo-Simon & Match-Lefebure*)

En 1973, Jean Gabin incarna de façon saisissante le vieux Gaston dans *L'Affaire Dominici,* une affaire criminelle qui, vingt ans auparavant, avait passionné l'opinion publique. (*Gamma*)

Les filles de Jean Gabin ont gardé des attaches avec le cinéma. Florence est scripte. (*Ci-dessus*: le jour de son mariage avec Christian de Asis-Trem.) (*Laurent Maous-Gamma*)

Valérie est attirée par la mise en scène. Elle a réalisé plusieurs courts métrages. Dans *Verdict*, l'avant-dernier film de son père, elle était assistante du réalisateur André Cayatte. (Ici, Gabin avec sa fille.) (*Keystone*)

La mort prit Gabin par surprise le 15 novembre 1976, alors qu'il était en pleine forme et débordant de projets tant professionnels que privés (*en haut*, avec sa femme Dominique) (*Roger Viollet*). Des dizaines de milliers de personnes lui rendirent un dernier hommage au cimetière du Père-Lachaise. (*Simon & Francolon-Gamma*)

Il fallait prendre une décision, vite, comme à Dieppe cinq ans auparavant — mais, cette fois, il ne suffisait pas d'être une petite jeune fille audacieuse : il fallait distinguer la sagesse de la folie, opter entre deux passions.

Tourner à Hollywood, Simone Roussel en rêvait déjà ; et tout de suite après son premier succès de *Gribouille*, Michèle Morgan s'était empressée d'aller faire un séjour à Londres pour perfectionner son anglais. C'est dire qu'elle avait alors de la suite dans les idées. Depuis, il y avait eu la guerre, et Jean Gabin. Alors, son cœur balançait. Laisser ses parents en France, partir sans même les revoir — et sans revoir Jean, sans qu'ils eussent pu s'interroger et répondre aux questions qu'ils n'avaient pas osé ou voulu se poser —, c'était grave et triste. La jeune fille choisit brusquement, comme on plonge, ce qui lui parut être la sagesse — partir — mais laissa à Denise Tual le soin de s'occuper de tout : papiers, visas, organisation du voyage. Elle espérait confusément que quelque chose arriverait, qui annulerait sa décision ou la rendrait encore plus inéluctable.

Ce qui arriva, c'est que Jean lui téléphona, trois jours avant son départ, pendant qu'elle était en train de boucler ses valises.

— Michèle, c'est Jean, dit-il. J'ai appris par Micheline que tu t'en allais.

Son ton était un peu moqueur. Il ajouta :

— Tu dois être contente : tu vas voir tes idoles, ta Greta, Marlène...

Un temps. Puis il dit encore :

— Tu as raison, tu sais. Pars avant qu'*ils* ne t'obligent à tourner pour eux.

Alors, Michèle perçut combien sa voix était tendre, bonne et chaleureuse. C'était bien « son » Jean qui était au bout du fil. Et quand il demanda si elle voulait qu'il vienne, le lendemain, elle dit oui, bien sûr. Ils passèrent donc les deux jours suivants ensemble, et c'est lui qui l'accompagna à la gare pour le grand départ. Ainsi se quittèrent-ils. Par bribes de temps, ils avaient eu quatre mois pour vivre leur roman d'amour. Ce n'était pas beaucoup, mais elle n'avait connu de lui que sa face rayonnante, sa gentillesse et sa douceur. Lui demeura sur le quai ; elle, son train l'emporta. Telle fut la fin d'une liaison qui avait eu, parmi d'autres bonheurs, celui d'être sans dispute ni scène de rupture.

Jean Gabin, à l'inverse de Michèle Morgan, n'avait pas de contrat avec l'Amérique. Darryl Zanuck, pressenti par des amis de l'acteur, lui en fit câbler un. Ce n'était pas par pure charité chrétienne : engager la vedette de *Quai des brumes* et de *La Grande Illusion* était également une affaire. Muni de ce contrat, l'acteur obtint de Vichy un « ordre de mission » attestant qu'il se rendait aux Etats-Unis — non encore belligérants à l'époque — en voyage de propagande. Ses visas étaient valables huit mois, ce qui n'avait guère d'importance. L'essentiel était de prendre le large, ce qu'il fit à partir de l'Espagne. Il fit une première escale à Tanger, d'où il revint vers le Portugal ; et, après ce commencement en zig-zag, finit par débarquer à New York.

Une des premières personnes qu'il y rencontra fut son compatriote Jean Sablon, une vieille connaissance. Sablon avait fait partie comme lui de la distribution de *La Dame en décolleté* aux Bouffes-Parisiens, il y avait bien quinze ans de cela. En 1930, ils avaient fait ensemble leurs débuts au cinéma dans *Chacun sa chance*. Sablon a raconté combien il était alors fier comme un pou parce qu'il avait par son bagou obtenu un cachet supérieur à celui de son copain. Ses efforts s'étaient limités là, il avait tourné sans grande conscience professionnel, d'où le résultat : il avait été si mauvais qu'en voyant le film il avait attrapé la jaunisse et que sa carrière cinématographique s'était terminée. Le film portant bien son titre, Gabin avait été rengagé tout de suite pour tourner *Méphisto*, Sablon s'était tourné vers la chanson, y trouvant son chemin vers la gloire.

Peut-être évoquèrent-ils ces souvenirs en se revoyant ; en tout cas, l'aimable Jean Sablon invita son ami à déjeuner chez lui en lui demandant qui il aimerait connaître parmi ses relations.

— Ginger Rogers, dit Gabin, qui avait un faible pour cette actrice.

Le déjeuner eut lieu, fut très réussi et cordial, au point que le trio passa l'après-midi ensemble et se remit à table pour un dîner commun, avant de se séparer. Ce fut la première rencontre de Ginger et Jean, après quoi la nouvelle recrue de Zanuck prit le train pour Hollywood.

Il allait y trouver beaucoup de connaissances, Jean Renoir, et toute une bande d'acteurs français comme Dalio, son copain d'évasion dans *La Grande Illusion*. Ce n'est pas seulement la guerre qui avait amené en Californie tant d'artistes européens. Depuis des lustres, les grandes firmes américaines avaient eu pour politique d'attirer les metteurs en scène et acteurs qui s'étaient illustrés dans leur pays d'origine. Afin d'augmenter leur potentiel de talents ; mais aussi, affirmaient d'aucuns, pour priver l'industrie filmique européenne de ses meilleurs éléments.

— Ils t'engagent, te font tourner quelques films qui ne t'apportent aucune gloire, puis te renvoient chez toi à la fin de ton contrat ; et chez toi, on t'a oublié entretemps, telle était l'opinion amère de ceux qui tenaient pour cette dernière théorie.

Et il est vrai que Hollywood constituant un monde bien particulier avec ses lois et ses propres méthodes de travail, une usine régie par les impératifs du business, beaucoup d'Européens y avaient laissé des plumes, professionnellement ou moralement, quand ce n'était pas les deux. Maurice Chevalier y avait conquis une renommée mondiale mais ne s'y était jamais senti heureux. Greta Garbo y était devenue la Divine, la star la plus fameuse, mais aussi une femme désenchantée dont on ne savait pas encore, en 1941, que c'était l'année de son dernier film. Françoise Rosay a fort bien montré le désarroi des Européens à Hollywood, pour avoir vu son mari Jacques Feyder le vivre pendant le temps qu'il y avait travaillé, de 1929 à 1933 : l'agacement des metteurs en scène s'apercevant qu'ils n'avaient pas la maîtrise de leurs films ; l'étonnement des acteurs auxquels aucune initiative n'était laissée, pas même celle d'arranger leur physique à leur idée.

En 1941, tout cela était encore vrai, Hollywood vivait toujours selon ces règles-là. C'était encore aussi une ville au ciel très bleu, à la lumière vive, et, dans Beverley Hills, les villas des stars se disputaient la palme de la splendeur. La vie sociale y était quadrillée dans un sens par le niveau des revenus et de la renommée, dans l'autre par la nationalité des artistes qui se groupaient volontiers en colonies. Les nouveaux arrivants étaient bien accueillis et reçus partout aussi longtemps qu'ils gardaient le privilège de la nouveauté et jusqu'à ce qu'ils eussent trouvé leur rang. Jean-Pierre Aumont, qui y arriva la même année que Jean Gabin, résume très bien cela : *le difficile n'est pas de séduire au début, le difficile, c'est de durer*. Il ajoute également que les Français, surtout les jeunes Français, étaient reçus à bras ouverts et que pour lui, en tout cas, ça avait duré. Est-ce que ça durerait pour Gabin, on pouvait se poser la question, car il n'avait pas de dispositions évidentes pour les mondanités, et il ne parlait pas encore l'anglais.

Naturellement, il rencontra Michèle Morgan. La jeune femme n'était pas très heureuse. Sa carrière américaine n'avait pas démarré comme elle l'avait espéré car Hitchcock, premier réalisateur à l'avoir pressentie pour un rôle, avait jugé son anglais insuffisant : n'ayant d'accent ni américain, ni français, ni britannique, il n'offrait aucun intérêt. On l'avait donc pourvue d'un professeur, le Dr Michneck, dont la première recommandation avait été de lui conseiller de fréquenter le moins possible la colonie française. C'était probablement judicieux, mais le premier résultat avait été de plonger la jeune femme dans une complète et douloureuse solitude. Se couper volontairement de ses racines, ne plus parler sa langue natale, était très éprouvant. Elle s'y était néanmoins soumise parce qu'elle était opiniâtre et entendait réussir. Elle travaillait avec acharnement et ne sortait, assez rarement, qu'avec des Américains, à l'américaine.

Pour Jean, elle fit une exception et ils dînèrent ensemble « Chez Oscar », un vrai restaurant français avec bifteck, pommes frites et beaujolais. Ils étaient heureux de se revoir ; Jean parla de la France, de ce qui s'y passait ; Michèle raconta les potins de Hollywood, sa vie peu joyeuse.

— Je ne dois pas parler français, dit-elle. Michneck, mon professeur, m'apprend les finesses de l'accent tonique et m'oblige à ne fréquenter que des Américains. Si je veux tourner un jour, je dois lui obéir.

— C'est peut-être le bon système, je ne sais pas, dit l'acteur.

Ce soir-là, en tout cas, c'est en français qu'ils eurent

une longue conversation chaleureuse et amicale. Mais les ukases de Michneck, c'était une raison de plus pour qu'apparût bien révolu leur passé amoureux. Ils restaient bons amis, ils le demeureraient.

Avant de se séparer d'elle, Jean demanda à sa compatriote si elle connaissait Ginger Rogers. Elle la connaissait. C'est même chez elle qu'elle avait fait son entrée dans le monde hollywoodien, plongeant avec ahurissement dans l'extravagant train de vie d'une star, sa maison fabuleuse, sa garde-robe aussi fournie que les réserves d'une maison de couture. Ginger lui avait fait visiter toutes ces merveilles, s'était montrée charmante et lui avait posé de multiples questions sur son partenaire de *Quai des brumes*.

— Elle m'a parlé de toi. Tu lui plais. Je pense qu'elle a un faible pour toi.

— Tiens, tiens, dit Gabin, pensant probablement qu'il aurait pu pousser ses avantages à New York.

Il le fit chez Michèle au cours d'un dîner et eut une *love affair* avec la rousse Ginger, qui lui demeura amicalement fidèle bien après qu'elle fut terminée. Mais la grande romance de son séjour à Hollywood, c'est avec une autre qu'il allait la vivre.

Parmi les amis qui l'avaient aidé à se faire signer par Darryl Zanuck le contrat qui lui avait permis de quitter la France, se trouvait Marlène Dietrich. Plus tard, lorsqu'il avait débarqué en Amérique et que la nature de ses papiers vichyssois — « ordre de mission », « mission de propagande » — avait éveillé la suspicion des autorités policières, elle était également intervenue pour aplanir les choses. Elle avait connu Jean Gabin peu de temps avant la guerre, à Paris. Elle venait souvent en France et, cette fois-là, elle avait signé un contrat pour tourner ultérieurement un film avec le metteur en scène Pierre Chenal. C'est Léon Bailby, directeur du journal *L'Intran*, qui fit se rencontrer au cours d'un dîner chez lui la vedette de *L'Ange bleu* et le héros de *La Bête humaine*.

Marlène Dietrich était une femme naturellement serviable et dévouée, et une farouche antinazie — deux caractéristiques suffisant à expliquer pourquoi elle prit Gabin sous sa protection lorsqu'il désira quitter l'Europe. A Hollywood, elle continua à s'occuper de lui ; elle lui trouva une maison avec l'indispensable piscine — louée à Greta Garbo — et s'ingénia à lui rendre service.

Comme Gabin ne croyait pas beaucoup à la méthode appliquée par Michneck à Michèle Morgan, il fut ravi d'avoir pour ange gardien une femme qui, parmi d'autres qualités, parlait parfaitement le français. Il était disposé à apprendre l'anglais et il l'apprenait, mais en acteur, s'imprégnant par l'oreille de l'accent et des sons et restituant ce qu'il entendait de la même façon qu'il s'imprégnait des gestes de ses personnages pour en restituer l'authenticité. Cette façon de faire lui réussit, et lorsqu'il tourna son premier film, un an après son arrivée, il parlait un américain convenable. Il s'était beaucoup appliqué, car bien qu'il fût de son propre aveu plutôt paresseux, il s'appliquait toujours, lorsqu'il était question de travail, à viser à la perfection.

Mais il n'était pas homme à s'américaniser jusqu'à la moelle et jusque dans sa vie privée. Il fréquenta donc la colonie française, et aussi Marlène Dietrich avec qui il parlait français. Ce n'est pas un hasard s'ils furent attirés l'un vers l'autre car ils avaient plus d'un point commun, même si ce n'était pas évident à première vue et si leurs origines étaient très différentes.

Marlène était une Berlinoise issue de la bourgeoisie, doublement fille de militaire puisque lorsque son père était mort prématurément, c'est avec un autre officier que sa mère s'était remariée. Elle avait reçu une éducation stricte et passablement austère, guidée par des principes d'honneur, de force, de loyauté et de bonté pour les faibles qui l'avaient marquée d'une empreinte indélébile. De nature, elle était nerveuse, timide, émotive et musicienne : elle avait appris le violon et le piano, et sa famille pensait qu'elle ferait carrière dans la musique. Un accident à la main gauche mit fin à ces ambitions et, sûre qu'elle ne pourrait jamais être une professionnelle brillante, elle renonça à la musique et se dirigea vers le théâtre malgré la réprobation de ses parents. Dès 1921, à vingt ans, elle monta sur la scène, fit son premier film en 1922 et ne cessa pratiquement pas de jouer dès ce moment, tant au théâtre qu'au cinéma, dans un Berlin qui était une ville fascinante, folle, à l'ambiance frénétique. Elle arrêta de travailler pendant presque deux ans pour s'occuper des débuts dans la vie de sa petite fille Heidede, car elle s'était mariée en 1924 avec Rudolph Sieber, beau jeune homme vivant comme elle dans le monde du spectacle. Mais, après cet entracte, elle reprit son métier, devenant rapidement une petite célébrité berlinoise, notamment dans *Broadway*, une pièce américaine sur le milieu new-yorkais des bootleggers et des souteneurs. Elle était travailleuse et toujours modeste, mais capable cependant de se singulariser par sa façon de se vêtir et de mettre en valeur sa féminité éclatante. Ses jambes étaient déjà célèbres.

Elle jouait un rôle important dans *Zwei Krawatten*, une comédie musicale et satirique, lorsque Josef von Sternberg, jeune mais déjà célèbre réalisateur, vint de Hollywood à Berlin pour y tourner *Professeur Unrat*, d'après un roman de Heinrich Mann, avec le fameux Emil Jannings dans le rôle du professeur que mène à la déchéance sa passion pour une chanteuse de cabaret. Sternberg cherchait une actrice pour faire la chanteuse. Il vit Marlène sur scène et fut littéralement captivé par la charge érotique qu'elle dégageait. Après le classique bout d'essai, elle fut engagée et devint donc Lola-Lola dans *l'Ange bleu*, ainsi que fut intitulé le film inspiré par *Professeur Unrat* et tourné en double version, allemande et anglaise.

Au début, Marlène n'était pas tellement heureuse de son rôle de garce, à cause de l'embarras et de l'indignation qu'il causerait à sa famille, et elle raconta par la suite à son biographe Charles Higham qu'elle l'avait toujours haï. Mais elle y fut merveilleuse, le type même de la femme que tous les hommes désirent ; et avant même que le film fût terminé, deux firmes hollywoodiennes avaient les yeux sur elle. Zukor et Lasky, de la Paramount, furent les plus rapides et lui signèrent un contrat. C'était le début de la gloire. Laissant son mari et sa fille en Allemagne, Marlène partit pour l'Amérique avec les époux Sternberg.

Maurice Chevalier a raconté comment il fut tout de suite attiré par la beauté de cette inconnue étrange et distante qui occupait aux studios de la Paramount une loge voisine de la sienne. Il était intrigué et séduit par cette *bêcheuse splendeur*. Et quand il vit *L'Ange bleu*, il fut tourneboulé : *On n'a jamais contemplé à l'écran*

plus voluptueux visage. Elle a une expression d'indiffé-
rence moqueuse, une allure féline de fauve, avec ce corps
sensuellement souple et admirablement planté et propor-
tionné. Il en devint véritablement amoureux ; mais ils
ne furent jamais que des amis, et ils le restèrent, bien
qu'espaçant leurs relations lorsque le tout-Hollywood
commença à jaser sur leur compte.

On jasait aussi sur les rapports qu'elle entretenait avec
son « découvreur », Josef von Sternberg. C'étaient des
rapports ambigus de fascination mutuelle, étroitement
dépendants de leurs liens professionnels. Sternberg façon-
nait la vedette selon ses fantasmes personnels et l'idée
qu'il se faisait des femmes — lui donnant, film après
film, des rôles de créatures perverses qu'elle n'aimait
pas mais qui l'entouraient d'une aura sexuelle enivrante
pour le spectateur. Elle, sachant ce qu'elle devait à cet
homme, consciente qu'il l'avait faite star en utilisant
magiquement ses atouts physiques, lui obéissait, malgré
qu'elle en eût, jusque dans sa vie publique, incarnant
à la perfection la star fastueuse et prodigue, avec ce que
cela implique de toilettes créées spécialement par la haute
couture, d'apparitions spectaculaires dans les palaces, de
voyages en voitures particulières.

En 1931, Mme von Sternberg, apparemment dépassée
par la situation, désira divorcer. De plus, elle réclamait
à Marlène Dietrich cinq cent mille dollars pour détournement de l'affection de son mari. C'est alors que les
ligues de femmes américaines s'en prirent à la star, qui
n'échappa à un pernicieux boycottage que parce qu'elle
ramena d'Europe Rudolph et Heidede, demeurés à l'écart
jusque-là pour la claire raison que la production avait
jugé inutile qu'un *sex symbol* apparût publiquement sous
les traits bénins d'une mère de famille.

Vu l'état d'urgence, cette raison passa au second plan
et d'abondantes photos de Marlène, entourée de son mari,
de sa petite fille et de son metteur en scène, tous sou-
riants et bons amis, ramenèrent la sérénité chez les Américains puritains.

Ce qui n'empêcha pas Marlène de redevenir bien vite
une figure légendaire, sophistiquée, énigmatique et hau-
taine, le type de la femme objet mais dominatrice, dont
la voluptueuse beauté joue le rôle d'instrument de la
fatalité.

CHAPITRE VII

Dix ans plus tard, en 1941, lorsque Jean Gabin se mit à fréquenter Marlène Dietrich à Hollywood, l'actrice avait cessé depuis six ans d'être sous l'emprise artistique de Sternberg. Personnellement mégalomane, fixé sur l'image qu'il se faisait de *sa* Marlène — femme fatale impitoyable et dépravée —, manipulant et récrivant les scénarios pour qu'elle fût cela somptueusement mais rien que cela, il avait fini par faire avec elle des films frisant le ridicule et dont même les meilleurs, comme *L'Impératrice rouge,* déplaisaient au public. Après le dernier, *La Femme et le Pantin,* dont la fin du tournage marqua la rupture entre les deux associés, Marlène Dietrich, bien que toujours une des deux actrices les mieux payées de Hollywood, était cataloguée comme « désastre du box-office ».

Elle l'était encore en 1936, et ce n'est qu'en 1939 qu'un western produit par Joe Pasternack pour la Metro-Goldwyn-Mayer, *Et tournent les chevaux de bois,* avec James Stewart comme partenaire, avait rétabli sa cote. Pasternack avait dû se battre pour l'imposer mais il tenait furieusement à elle, prétendant que Sternberg en avait fait une statue de cire, alors qu'elle était une créature énergique, réaliste et solide. Le public lui donna raison en plébiscitant la nouvelle incarnation de la vedette : une femme consciente de son corps et de la sensualité qu'il dégage, mais libre, courageuse et bonne. En 1940, *La Maison des sept péchés*, avec le jeune John Wayne, avait confirmé sa remontée. Mais son image dans l'inconscient collectif et son personnage public étaient néanmoins à jamais marqués par l'empreinte que leur avait donnée Sternberg : Marlène sexy, Marlène sensuelle, Marlène habillée, coiffée et maquillée de manière à magnifier son corps et à éveiller le désir des hommes, Marlène mythique.

Cette Marlène de vitrine, Jean Gabin constata sa réalité mais il s'aperçut vite que sous cette apparence, devenue certes une seconde peau, il y en avait une autre, tout aussi réelle et très différente. Et leur point commun principal, c'était cela justement : c'est qu'ils avaient été l'un et l'autre emprisonnés dans un personnage mythique ; elle de femme fatale, lui de garçon livré à la fatalité ; elle traitant les hommes avec un mépris hautain et ravageur, lui guetté par des amours sans issue, l'obligeant à tuer ou à mourir ; deux personnages qu'en somme ils n'étaient pas. Aussi est-ce avec délectation qu'ils s'aperçurent qu'ensemble, dans le privé, ils pouvaient être naturels, gais et sans façons. Ils étaient tous deux honnêtes et pourvus de quelques principes solides et simples. Ils avaient à des degrés divers la nostalgie de la campagne. Ils aimaient la bonne cuisine et croyaient en sa vertu roborative et symbolique.

Pour Marlène, faire la cuisine était une autre façon d'exprimer sa féminité, façon qu'elle tenait de son hérédité et de son éducation. Lorsqu'elle s'attachait à quelqu'un, amicalement ou amoureusement, elle voulait faire la cuisine pour ce quelqu'un. Elle la faisait d'ailleurs remarquablement, glanant des recettes et des tours de main chaque fois qu'elle en avait l'occasion et jusque dans les cuisines des plus grands restaurants du nouveau et surtout de l'ancien monde. Et non seulement elle fabriquait des plats mémorables, mais elle avait un solide coup de fourchette et une prédilection pour les mets traditionnels du répertoire européen comme les rognons braisés, le goulash, la langouste ou le pot-au-feu. Avec Gabin, elle pouvait s'en donner à cœur joie, la nourriture ayant toujours été pour lui une des bonnes choses de la vie, un plaisir qui ne trahit pas. Marcel Dalio, qui fréquentait le couple à l'époque, a décrit plaisamment la star préparant méticuleusement des choux farcis pour son chéri, vêtue en cuisinière qui ferait faire ses tabliers chez Hermès. Car star elle était et star elle demeurait, même dans la simplicité.

En cela, elle se différenciait de Gabin qui, sorti du studio, détestait continuer à jouer un personnage. Elle, elle n'avait jamais adoré Hollywood ; elle trouvait oiseuses les réceptions où les femmes n'avaient qu'un sujet de conversation : leurs bijoux et ceux qui les leur avaient offerts ; elle aimait par-dessus tout demeurer chez elle, seule ou avec des amis bien choisis ; elle avait un train de maison modeste eu égard à sa célébrité ; et elle tenait beaucoup à son intimité avec un Gabin qui mangeait de bon appétit, la faisait rire et la ravissait par son langage coloré et sans détours. Mais elle n'oubliait pas ce qu'elle devait à sa légende et accomplissait les devoirs de sa charge avec une rigueur d'officier prussien, se montrant où il fallait quand il le fallait, Marlène des pieds à la tête.

Elle était fière d'ailleurs de sortir son Jean français, de montrer dans les premières ou les établissements à la mode combien il était beau et élégant. A tout ce qu'il avait de séduisant — ses yeux clairs, ses cheveux rebelles qui commençaient à s'argenter — elle préférait ses *hanches fantastiques, point final de la beauté masculine,* ainsi qu'elle le déclara à un journaliste. Quant à son élégance, on sait qu'elle avait déjà ébloui la jeune Michèle Morgan. Le petit paysan de Mériel, ex-apprenti cimentier, avait un sens aigu de la toilette ; il choisissait avec la même sûreté et portait avec la même aisance l'habit noir, le complet de ville ou la tenue de sport chic et décontractée.

Mais si c'était une vraie joie pour Marlène de sortir avec Gabin, ce n'en était pas une pour lui parce qu'il n'aimait pas la vie mondaine et qu'il ne tenait pas à faire tous les jours l'effort d'être élégant. Et faire cet effort-là, en plus, pour aller voir des ballets ou des opéras, c'était une corvée deux fois barbante : les deux l'ennuyaient à périr.

Une autre cause de dissentiment entre eux, c'est

qu'elle se voulait avant tout une femme libre. Il y avait fort longtemps déjà, encore à Berlin, qu'elle avait renoncé à la fidélité conjugale. Bien qu'elle n'eût pas divorcé et demeurât très dévouée à son mari Rudolph Sieber, lui apportant son aide immédiate s'il avait quelque ennui que ce soit — et cela même lorsqu'il se mit à vivre avec une autre femme —, elle entendait garder la libre conduite de ses actions, et son entourage lui avait connu diverses liaisons, avec l'écrivain Erich-Maria Remarque notamment et avec plusieurs partenaires de ses films. Juste avant l'arrivée de Gabin, elle avait eu une idylle avec le jeune et viril John Wayne, et comme elle n'entendait pas cesser de sortir avec lui lorsqu'elle se lia avec le Français, elle eut avec celui-ci des frictions et des heurts, assez brutaux semble-t-il, mais elle ne détestait pas cela. Elle était assez amoureuse de cet homme qui venait d'entrer dans sa vie pour le demeurer même dans un climat violent.

L'acteur, cependant, se préparait à honorer son contrat avec la 20th Century Fox. Son premier film, *Moontide*, avec Ida Lupino, Claude Rains et Thomas Mitchell, devait être réalisé par Fritz Lang, grand parmi les grands réalisateurs allemands. Au bout de quatre jours, Darryl Zanuck remplaça ce dernier par Archie Mayo, qui termina et signa le film. Il est vraisemblable qu'il y avait eu incompatibilité d'humeur entre Gabin et Lang, celui-ci étant souvent glacial, distant et antipathique, et Gabin n'étant pas spécialement réputé pour la souplesse de son caractère avec les gens qu'il avait dans le nez pour une raison ou une autre. Quoi qu'il en soit, le film fut tourné. Il était inspiré d'un roman et racontait une histoire assez semblable à celles que l'acteur avait illustrées en France : le héros en était un homme qui en a étranglé un autre sous l'empire de l'ivresse et qui a pour comparse un individu qui le fait chanter ; ses décors étaient ceux d'un bar louche, de la mer avec ses bateaux et ses appontements noyés dans la brume. Les ingrédients étaient rassemblés, la soupe n'était pas mauvaise ; pourtant quelque chose clochait ; peut-être un Gabin made in Hollywood aux cheveux trop ondulés, et sûrement sa voix ; il avait certes acquis un accent impeccable, mais qui ne jaillissait pas de son être profond comme celui qu'il avait en français ; lui-même avoua plus tard qu'il *s'entendait dire son texte* — et ça, c'est mauvais pour le naturel, ce fameux naturel qui lui avait valu sa renommée. Il était comme une bouture qui, plantée en terre étrangère, n'est pas encore suffisamment enracinée pour donner de très belles fleurs. Mais s'enracinerait-il jamais dans cette Californie qui lui était vraiment étrangère, lui qui était tellement français, qui apparaissait tellement comme un pur produit de son sol natal ?

L'année suivante, en 1943, on lui donna le rôle d'un Français dans un film dirigé par Julien Duvivier, celui-là même qui, en lui faisant tourner *La Bandera* en 1935, l'avait mis sur les rails du vedettariat. Le film s'appelait *L'Imposteur* et était destiné à servir la propagande des Forces françaises libres du général de Gaulle. Ce genre de film de circonstance n'était pas superflu. Dès le 7 août 1940, le général avait conclu avec Winston Churchill un accord faisant des premiers volontaires qui avaient répondu à son appel du 18 juin une armée légale et alliée dont il était le leader. Au fil des mois, cette armée s'était grossie par le ralliement des gouverneurs de maints territoires de l'empire colonial, notamment en Afrique noire. Aux Etats-Unis, les Forces françaises libres avaient créé des comités de propagande et un bureau de recrutement de volontaires, mais de Gaulle ayant contre lui l'hostilité avouée du président Roosevelt, il paraissait nécessaire à ses partisans de se concilier l'opinion publique.

L'Imposteur répondait donc à ce critère : faire mieux connaître aux Américains l'existence de cette armée française qui combattait dans le même camp que les G.I.'s et la leur rendre sympathique. L'histoire écrite par Duvivier utilisait des ressorts dramatiques fort proches de ceux de *La Bandera*. Gabin y jouait le rôle d'un condamné à mort pour meurtre qui échappe à la guillotine à la faveur des événements de la débâcle, s'empare des papiers d'un soldat tué sous l'identité duquel il s'embarque pour l'Afrique et s'engage dans les Forces françaises libres à Brazzaville. A la suite d'événements divers, il se porte volontaire pour une mission dangereuse et rachète ses erreurs passées en mourant héroïquement au combat. Dans cette œuvre au dessein précis, Gabin avait pu donner un peu plus de lui-même, mais il n'en fut pas personnellement satisfait. Sa carrière américaine, aussi bien, ne s'annonçait pas triomphale et ses résultats au box-office ne répondaient pas à ce qu'on avait misé sur lui.

Il s'ennuyait. Il était taiseux, paraissait indifférent et lointain. Un jour, Marlène le taquina et lui reprocha, en présence de Dalio, de ne jamais lire, de ne même pas connaître Hemingway.

— Et alors ? répondit Gabin. Je gamberge, moi. J'ai pas besoin de lire, je connais la vie...

Il ruminait. Faire le héros dans un film, était-ce suffisant ? Ne serait-il pas plus utile au pays dont il avait la nostalgie en essayant de faire le héros pour de bon ? Un imposteur, n'en était-il pas un, même s'il tournait des films de propagande et participait à tous les galas de bienfaisance où l'entraînait Marlène, en vivant comme il faisait dans le luxe douillet et les faux-semblants de Hollywood ?

En avril, il cessa de gamberger et prit sa décision. Charles Highman raconte de quelle curieuse façon il se sépara de Marlène. Cela se passait chez un vieil ami de cette dernière, Walter Reisch, au cours d'une soirée où l'on vint à parler d'opéra. La conversation exaspéra Gabin qui, toujours d'après Reisch, s'endormait régulièrement aux représentations et aux concerts où il accompagnait son amie. Soudain il dit :

— Moi, je n'aime pas l'opéra. C'est idiot. On ne chante pas quand on est en train de mourir.

Le metteur en scène Ernst Lubitsch, qui était présent, répliqua quelque chose, mais Gabin ne l'écouta pas, se leva et sortit.

Il quitta Hollywood pour ne plus y revenir et alla s'engager dans les Forces françaises libres, pas parce qu'il avait commis un crime comme le héros de *L'Imposteur*, mais parce qu'il aurait eu l'impression d'en commettre un s'il ne s'engageait pas.

Il demanda à reprendre du service dans la marine, dont il était fier car c'était la seule force française demeurée invaincue en 40. L'amiral Charles de la Haye n'en revint pas quand on lui apprit cette nouvelle. A quelqu'un qui lui faisait remarquer qu'il devrait sûrement avoir un sacré dédit à payer à la Fox, l'acteur rétorqua :

— Je m'en fous. Vous me voyez, moi ancien poulbot

de Montmartre, moi qui étais quartier-maître en 39, vous me voyez rentrer chez moi en touriste quand tout sera fini pour apprendre que les copains se sont fait trouer la peau à ma place !

Devant tant de détermination, il ne restait qu'à enregistrer son engagement et il redevint quartier-maître à bord de *L'Elorn*, un pétrolier auquel il fallait faire traverser l'Atlantique.

Marlène Dietrich, elle, avait un grade nettement supérieur au sien : elle était colonel. Car elle s'était engagée aussi : aimer l'opéra n'empêche pas d'avoir du courage. Prussienne, européenne dans l'âme, elle avait eu horreur du nazisme avant même les premiers triomphes et les premières folies d'Hitler. Il n'était pas encore au pouvoir qu'elle pressentait déjà les drames qui allaient ravager l'Europe et le monde. Plus tard, le dictateur lui avait fait proposer de devenir sa maîtresse et la plus grande vedette allemande. Elle avait rejeté ces demandes avec vivacité. Femme énergique, libre et audacieuse, elle s'était affirmée en sollicitant en 1939 sa naturalisation américaine et avait patiemment fait la queue dans les bureaux avec les émigrés anonymes.

En 1942, après l'entrée en guerre des Etats-Unis, elle avait offert au directeur de l'organisation des spectacles aux armées d'aller chanter pour les soldats. Cela lui fut accordé en 1943, et c'est alors qu'on lui donna le grade de colonel, dans l'espoir de la protéger du pire si elle était faite prisonnière — car les Allemands nazis la détestaient et la considéraient comme une rénégate qu'il fallait détruire. Elle se fit confectionner un uniforme sur mesure et quatre robes de scène très sexy, et pailletées pour ne pas se chiffonner dans sa valise. Elle bouleversa et émerveilla les soldats partout où elle se produisit pour eux, suivant au plus près les conquérants de l'Italie, de la France, de l'Allemagne. Elle mena une vie harassante et aventureuse, avec des heures pénibles, joyeuses ou dangereuses, mais toujours exaltantes.

Elle n'avait pourtant pas oublié Jean Gabin, et elle lui écrivait. Et vint un moment où elle reçut des réponses — lorsque le quartier-maître Jean-Alexis Moncorgé, capitaine d'armes à bord de *L'Elorn*, toucha terre en Afrique du Nord, passée du côté allié depuis l'hiver précédent.

La traversée de l'Atlantique n'avait pas été une partie

de plaisir, on s'en doute. Un pétrolier était une cible particulièrement recherchée par l'ennemi et vouée à une destruction redoutable si elle était atteinte. Les alertes n'avaient pas manqué. La plus sérieuse s'était produite en vue du cap Ténès, au large de l'Algérie. Attaqués par des avions allemands, hommes et officiers avaient pensé qu'ils vivaient sans doute leur dernier quart d'heure. Moncorgé, chef d'une batterie de défense, dirigeait la riposte courageusement et aussi efficacement que possible. Mais il avoua plus tard qu'il crevait de peur au point qu'un tremblement incoercible faisait danser son casque sur sa tête. S'efforçant de dissimuler cela à ses hommes, il pensait bizarrement à Humphrey Bogart se trouvant dans sa situation — mais dans un film et impavide — et se disait : « Quel con, ce Bogart, non mais, quel con ! », en guise de machinal exorcisme peut-être, ou peut-être pour exprimer le secret et viril contentement, plus fort que le danger et la trouille, d'être là pour vivre enfin dans la réalité une situation qu'il avait jouée, à des détails près, dans plusieurs de ses films.

Content ou pas, il ne s'en tint pas là. *L'Elorn* sorti intact de son combat et rentré au port, il devint instructeur de recrues. Ce n'était pas son dernier avatar guerrier. Lorsque le grand débarquement eut commencé en Normandie, il signa un nouvel engagement volontaire dans le régiment blindé des fusiliers-marins et rejoignit à Royan la 2ᵉ D.B. du général Leclerc. Il avait alors quarante ans et les cheveux de plus en plus gris, mais ça ne lui paraissait pas une bonne raison pour dételer ; il tenait à faire son devoir, à aller jusqu'au bout pour ne pas se sentir — pour employer son langage — dans la peau d'un salopard.

Quand la guerre fut terminée, il reçut la croix de guerre et la médaille militaire avec la citation suivante :

Réserviste de la classe 1924, s'est engagé aux Etats-Unis en avril 1943, pour prendre sa part à la libération de la France.

Embarqué sur le pétrolier Elorn *comme capitaine d'armes, a contribué à repousser de violentes attaques d'avions ennemis au large du cap Ténès. Volontaire au R.B.F.M., a pris sur sa demande les fonctions de chef du char* Souffleur II, *devenant le plus vieux chef de char du régiment ; a participé à toute la fin de la campagne de la Division Leclerc, de Royan à Berchtesgaden, faisant preuve des plus belles qualités d'allant, de courage et de valeur militaire.*

Marlène Dietrich, cependant, se conduisait également avec intrépidité. Le jour, en uniforme, elle suivait l'avance des G.I.'s ; le soir, vêtue d'une de ses robes pailletées, elle leur versait depuis des tréteaux improvisés le baume de la beauté, des rêves et de l'espérance. Il lui arriva de chanter pour des prisonniers allemands et de s'apercevoir avec étonnement qu'elle était également une idole pour la plupart d'entre eux.

Sa part personnelle de rêves et d'espérance, elle la puisait dans sa vitalité, son énergie et la conscience qu'elle avait d'être bienfaisante aux guerriers — mais aussi dans les lettres quotidiennes que, selon le lieutenant-colonel chargé de l'escorter en Italie puis en France, elle recevait de Jean Gabin. *Elle s'abîmait totalement dans la lecture de ses lettres,* affirme-t-il ; *jamais je n'avais vu une telle expression de passion sur un visage.* Pas de doute, elle l'aimait. Disputes et ressentiments étaient oubliés ; ils n'avaient pas laissé de traces dans la profondeur de ses sentiments. Elle était éprise de lui, trouvait du réconfort dans leur correspondance et espérait bien que le dieu des amours trouverait le moyen de faire se croiser leurs routes de guerre.

Un jour, elle eut vent que la 2e D.B. n'était pas à plus de quatre-vingts kilomètres de l'endroit où elle-même se trouvait. Elle se fit conduire à toute allure chez les Français et arriva en plein rassemblement de chars alignés pour une revue. Elle courut entre les engins, cherchant son Jean, comptant le reconnaître facilement car elle savait qu'il continuait à porter, même dans son char, sa casquette de marin ornée d'une ancre. Elle le repéra effectivement et attira son attention en criant son nom.

— Qu'est-ce que tu fais là ? hurla-t-il d'une voix furibarde. Fous le camp !

Elle ne tint pas compte de cet ordre peu amène, s'approcha de lui et lui posa sur les lèvres un baiser langoureux, devant des milliers de soldats au garde-à-vous et les officiers qui passaient la revue. Racontant l'histoire bien plus tard à son ami Gilles Grangier, Jean Gabin la terminait en disant, l'œil rigolard :

— Tu comprends, même si c'est Marlène, ça te pose des problèmes avec tes supérieurs !

Apparemment, le supérieur — le général Leclerc — n'exerça pas d'autres sévices que d'inviter le couple à dîner. Fidèle du général de Gaulle depuis la première heure — encore capitaine de Hauteclocque, il avait pris le nom d'emprunt de Leclerc dès 1940 pour opérer le ralliement du Cameroun — il avait participé avec sa division aux grandes batailles de la reconquête et vécu de hauts faits guerriers ; mais il y avait de quoi être étonné, même pour lui, par ce couple de vedettes quadragénaires qui s'étaient engagées volontairement dans la lutte, l'homme dans l'anonymat, la femme utilisant le prestige de son nom et la fascination de son personnage. Il y avait de quoi être étonné aussi que ces deux-là, à première vue de natures si différentes, se fussent épris l'un de l'autre, même s'ils étaient tous deux des vedettes et si, sous l'uniforme, ils se comportaient avec la même simplicité.

Et à Paris, lorsque la guerre fut enfin finie, le même étonnement frappa les badauds qui les voyaient se promener sur les Champs-Elysées, bras-dessus bras-dessous, et s'engouffrer, comme tout un chacun, dans une bouche de métro — deux amoureux heureux parmi beaucoup d'autres, mais elle c'était Marlène Dietrich, et lui Jean Gabin.

Elle loua, avenue Montaigne, un appartement — où elle vit encore. Lui l'emmena à Sainte-Gemme, où ils trouvèrent la propriété en partie détruite et pillée, mais la campagne normande avait gardé tous ses charmes. Très jeune, encore apprentie comédienne, Marlène avait déclaré à une amie :

— Tu sais quel est mon rêve ? Je voudrais me marier, acheter une petite ferme et élever des poulets.

Mais entre-temps, elle était devenue une vedette — plus : une star. A ses débuts à Hollywood encore, elle pensait que son fabuleux succès ne durerait pas plus de trois ans et qu'ensuite elle prendrait gaiement sa retraite. Tout ça n'était plus qu'illusions de jeunesse. Maintenant qu'était finie la guerre qui, d'une certaine manière, comportait aussi sa part d'insouciance et d'irréalisme, il fallait rentrer dans la vie et il était bien évident que ni Gabin ni Dietrich n'étaient on situation de devenir de paisibles retraités ou des aviculteurs à la tête d'une famille nombreuse. D'autant que Jean Gabin avait des problèmes à résoudre, ne serait-ce que celui de son divorce, suspendu pour cause de conflit mondial, et qui entraînerait pour lui une sérieuse diminution de ses économies car, s'étant marié sans contrat, la moitié de ses biens allait revenir à Doryane.

En d'autres termes, la réalité était que, si agréable qu'il fût de jouer les amoureux à la campagne ou aux Champs-Elysées, il fallait rabouter l'avant-guerre et l'après, et renouer avec le métier.

Des trois metteurs en scène avec qui Jean Gabin avait tourné ses films les plus célèbres, deux avaient émigré comme lui à Hollywood : Jean Renoir et Julien Duvivier. Mais Marcel Carné était resté en France où il avait réalisé, avec la collaboration de Jacques Prévert, deux films remarquables : *Les Visiteurs du soir* et *Les Enfants du paradis*. Le tournage de cette dernière œuvre, une production à grand spectacle de trois heures, avait failli être interrompu par les événements de la guerre ; et c'est finalement la maison Pathé et son producteur délégué Raymond Borderie qui avaient permis son achèvement. Présentée aux Parisiens après leur libération, elle avait connu une « exclusivité » chaleureuse et durable ; ce qui faisait que Carné était plus que jamais le cinéaste du jour, l'homme qui ne connaît que des réussites.

Il était donc tout naturel que Raymond Borderie eût l'idée, puisque Gabin s'en était revenu de la guerre, de faire un Carné-Prévert-Gabin, dont le succès ne pourrait être moindre que celui de *Quai des brumes* ou du *Jour se lève*.

Bien qu'il y eût eu quelques coups de gueule entre les deux hommes pendant le tournage du *Jour*, ni Carné ni Gabin ne furent hostiles au projet, au contraire. C'était une sacrément bonne idée. Jacques Prévert ferait le scénario. Ne restait qu'à trouver un sujet. Comme Gabin ne sortait jamais sans Marlène, ils se mirent à se rencontrer souvent tous les quatre, Carné, Prévert, Dietrich, Gabin.

Celui-ci dit un jour :

— J'ai toujours les droits de *Martin Roumagnac*...

— Tu ne vas pas remettre ça ! s'écrièrent les deux autres hommes.

Et *Martin Roumagnac* retourna dans son tiroir.

CHAPITRE VIII

Vexé et dépité que Carné et Prévert eussent à nouveau et railleusement mis au rancart *Martin Roumagnac*, Jean Gabin leur gardait néanmoins sa confiance et attendait qu'ils eussent une bonne idée de film.

Elle vint à Carné un soir de juin 1945 alors qu'il se trouvait comme souvent avec Jacques Prévert, Marlène Dietrich et Gabin. Aucun de ces quatre personnages, si familiers dans leur art avec les divers avatars de la « fatalité », n'eut la moindre prémonition que c'était une idée funeste qui allait déclencher une série d'événements désastreux, à commencer par leur mésentente.

Cela se passa dans une boîte de nuit où ils prenaient un verre après avoir assité à une soirée de ballet. Allergique à ce genre de divertissement, Gabin aurait dû être le premier à se méfier, mais il ne le fit pas : comme un héros de film, il tomba dans le piège tendu par le destin.

Le chorégraphe et danseur du ballet, créé ce soir-là au théâtre Sarah-Bernhardt, était un jeune homme à peu près inconnu six mois auparavant. Elève et protégé de Serge Lifar, il avait quitté la troupe de l'Opéra à la Libération et fondé une compagnie. C'était Roland Petit.

En février, le public avait découvert ses talents dans une œuvre d'Henry Sauguet, *Les Forains*, et, le soir en question, il venait de présenter un autre ballet, au charme trouble et réaliste, dont les pas-de-deux érotiques avaient emballé les spectateurs. Joseph Kosma en avait composé la musique ; il s'appelait *Le Rendez-Vous* ; c'était l'histoire dansée et mimée d'un jeune homme qui rencontre la plus belle fille du monde et en tombe amoureux — mais le destin la lui ravit et il en meurt. Jacques Prévert était l'auteur de cet argument.

Prenant donc un verre avec ses amis après ce spectacle très applaudi, Marcel Carné dit :

— Et si on portait *Le Rendez-Vous* à l'écran ?

— Tu crois ? dirent en même temps Prévert et Gabin.

— Je crois, dit le metteur en scène.

Ça commença comme ça. Convaincu d'avance par le trio auquel on devait *Quai des brumes* et *Le Jour se lève*, Raymond Borderie donna son accord sans difficulté, et les deux compères se mirent au travail, car il leur fallait étoffer la mince intrigue du *Rendez-Vous*.

C'est alors que Gabin eut sa propre idée, aussi fatale que celle de Carné — mais là non plus, personne ne se douta de rien. Le même quatuor était rassemblé, pour un déjeuner cette fois. Gabin dit :

— Et si on mettait la Grande dans le coup ?

La Grande, c'était Marlène. Déjà à Hollywood il l'appelait ainsi. Parfois aussi il l'appelait l'Ange.

L'Ange — ou la Grande — avait souvent manifesté son envie de faire un film en France. De passage à Paris en 1937, elle avait annoncé son projet de tourner sous la direction de von Sternberg un *Vacances en Autriche*, dont les extérieurs seraient filmés dans la région de Salzbourg et les intérieurs dans un studio parisien. Il n'y avait pas eu de suite, mais, en 1939, elle avait signé un contrat pour un long métrage qui s'appellerait *Bruges la Morte*. Depuis, six ans s'étaient écoulés qui avaient bouleversé le monde et des millions de projets — mais pendant lesquels l'amour de la star pour Jean Gabin n'avait pu que renforcer son désir de travailler en France.

Elle marqua son accord au propos de l'acteur, ajoutant cependant qu'elle ne désirait pas un rôle trop long, eu égard à son accent que les Français, disait-elle, pourraient ne pas apprécier pour l'avoir trop longtemps entendu pendant l'Occupation.

Le couple Dietrich-Gabin dans un film, c'était une sensation, pas de doute, et la presse commença drôlement à s'y intéresser. Mais, chose surprenante, l'Amérique renâcla. La firme R.K.O., qui avait accepté de coproduire avec la maison française Pathé un Carné-Prévert-Gabin, ne fut plus d'accord lorsqu'elle apprit que la Grande « serait dans le coup ». Les ligues de femmes, une fois de plus. Marlène avait paré à leurs vertueuses indignations autrefois, en faisant venir à Hollywood son mari et sa fille et en se montrant fort prudente par la suite, n'affichant pas ses liaisons et passant toutes ses vacances en Europe avec Rudolph et Heidede. Mais, avec Gabin, elle n'avait pas pris de précautions, en sorte que le grand public était au courant de leur liaison immorale et boycotterait sûrement un film où cette liaison serait concrétisée.

N'importe ! Le puritanisme, Dieu merci, n'était pas partout aussi agressif qu'aux Etats-Unis. Un grand producteur anglais, Alexandre Korda, se substitua à la R.K.O., grâce à quoi le film ne fut pas abandonné. La Grande demeura dans le coup ; Prévert et Carné se remirent au boulot.

C'est alors Marlène qui eut son idée, ou plutôt des idées. En grande vedette de Hollywood, elle avait fait stipuler dans son contrat un droit de regard sur le scénario et la distribution. Pour celle-ci, pas de problème puisque son partenaire serait son Jean chéri ; mais, en revanche, les trouvailles de Prévert ne l'enchantaient pas. Elle leur opposait ses propres trouvailles — comme par exemple de sortir son argent de sous sa jarretière, dans un film se passant en 1945, pour payer un cocher de fiacre. Sans ménagement, Prévert l'envoyait sur les roses. Et quand la situation devint par trop tendue, Marlène dénonça son contrat en raison d'une incompatibilité de goût pour le scénario, comme elle s'en était réservé le droit...

N'importe ! Korda et Pathé étaient d'accord pour faire le film sans elle, du moment qu'ils gardaient le trio Gabin-Carné-Prévert. Mais le trio ne tournait plus très rond, si l'on peut ainsi s'exprimer. Jean devenait d'une humeur exécrable. Quant à Prévert, sa femme enceinte avait une grossesse difficile, ce qui lui donnait du souci ; et le sens dans lequel il travaillait ne rencontrait pas la parfaite adhésion de Carné. Celui-ci ne retrouvait pas la complicité et la spontanéité qui accompagnaient naguère leur labeur en commun. Et le temps passait...

Au jour fixé pour le début du tournage, le scénario n'était pas prêt. Cela donna à Gabin un prétexte pour se défiler à son tour. Son contrat ne comportait pas, comme celui de sa compagne, une clause lui donnant des droits sur le scénario ; mais il garantissait des dates et celles-ci, à l'évidence, ne pourraient être respectées. Ce qui empêcherait l'acteur, qui avait signé des engagements ultérieurs, de respecter ceux-ci. Il soutint donc qu'il lui était impossible de tourner *Les Portes de la nuit* — tel était le titre adopté en définitive par Carné et Prévert. Le Centre national de la cinématographie arbitra le conflit et donna raison à l'acteur.

Celui-ci put ainsi tourner le film pour lequel il avait signé avec la maison Alcina : *Martin Roumagnac*. Sa partenaire y serait Marlène Dietrich. On imagine comme les journalistes avaient fait mousser toutes les tribulations du couple. N'importe quel producteur aurait fait n'importe quel film avec ces deux héros dont les faits et gestes faisaient des vagues dans la presse artistique aussi bien que dans celle du cœur et soulevaient même des discussions passionnées dans les syndicats de techniciens de cinéma. Porté par ce mouvement de publicité, Jean Gabin n'avait eu aucune peine à imposer le scénario auquel il tenait depuis plus de six ans.

Martin Roumagnac, c'est un maçon qui, à force de travail, est devenu entrepreneur et a acquis l'estime des notables de la sous-préfecture où il vit. Pour son malheur, vit aussi dans cette petite ville une aventurière qui se prétend australienne et vend des oiseaux dans une petite boutique. Sa beauté, son apparence peu banale, affolent plusieurs hommes : un jeune instituteur, un adjoint au maire, un consul qui n'attend que la mort de sa femme pour l'épouser. A un match de boxe, par hasard, elle rencontre Martin qui s'éprend d'elle à son tour. Et voilà que cet homme probe et estimé commet mille folies, construit une villa pour la belle, s'endette, perd ses clients, fait jaser toute la ville et se laisse entraîner — les intrigues et la jalousie ayant naturellement fait leur apparition dans l'histoire — à étrangler l'ensorceleuse. Acquitté de son crime, grâce à un alibi fourni par sa sœur et à la vindicte de la population pour l'aventurière, il se fait abattre par l'instituteur, qui s'est fait l'instrument de la justice immanente.

Malgré tout ce qu'avaient pu en dire moqueusement Carné et Prévert, c'était une bonne histoire pour Gabin, surtout pour le Gabin mûri et grisonnant d'après-guerre. Une partie de la critique le reconnut. Jean Vidal, dans *L'Ecran français*, écrivit notamment : *Le Gabin qui nous revient aujourd'hui, la chevelure grisonnante, le visage empâté, n'est plus le « dur de dur » que nous avons connu jadis. C'est un quadragénaire, un homme mûr, un nouveau personnage. Mais c'est toujours un grand acteur. Sa présence à l'écran conserve une densité considérable et son jeu s'est nuancé, humanisé.*

Ces phrases témoignent de prescience et démontrent également la prescience de Jean Gabin lorsqu'il avait acheté les droits de *Martin Roumagnac*. Peut-être avait-il voulu le jouer prématurément et Carné avait-il eu raison de préférer pour lui, en 1939, alors qu'il n'avait que trente-cinq ans, *Le jour se lève*. Mais Gabin prévoyait le temps où il n'aurait plus l'apparence d'un jeune premier — jeune premier tragique et peu banal certes ! — et où il devrait prendre un virage dans sa carrière. Il savait qu'il n'était pas de ceux dont le physique défie les ans et qui gardent longtemps la gracilité et les doux traits de la jeunesse. Même s'il est vrai que c'est Doryane qui lui avait appris à choisir ses sujets, il avait le mérite d'avoir retenu la leçon et de l'appliquer sans complaisance pour lui-même.

Malheureusement, *Martin Roumagnac* ne fut pas le grand film sur lequel il comptait pour effectuer une grande rentrée sur les écrans français — même si le succès public fut assuré par le tapage journalistique que l'on devine. Les spectateurs furent attirés par la juxtaposition de deux vedettes à personnalité marquée, de deux noms célèbres, de deux mythes — et s'intéressèrent peu au film.

L'ennui, c'est que les deux mythes, contrairement aux prévisions, n'allaient pas ensemble et que Marlène Dietrich, produit de l'expressionnisme allemand des années vingt, revu et statufié par Josef von Sternberg, ne s'intégrait pas dans le réalisme français. Peut-être avait-elle exercé son droit de regard, reconnu ou non par contrat, sur le scénario. De toute manière, même si l'histoire était censée se passer avant la guerre, son personnage sonnait faux en 1946, dans une France encore bien pauvre et saignante de ses blessures. Trop bien léchée, maquillée et coiffée, vêtue de dentelle noire et de satin, elle rendait peu crédible son personnage de vendeuse de sous-préfecture, même auréolée d'un passé d'aventurière et venant d'un continent lointain.

Le tournage pourtant s'était bien déroulé. Le metteur en scène était Georges Lacombe, petit homme fragile et discret, mais réalisateur chevronné puisque son premier film datait de 1938. De cet être courtois qui prenait pour un oui pour un non la mine d'un collégien en faute, on craignait qu'il n'eût pas l'autorité suffisante pour affronter les éventuels coups de gueule de Gabin. Ce n'était plus un secret pour personne que l'acteur, quand il se mettait en colère, pouvait être redoutable. Son vocabulaire devenait plus imagé que jamais, riche en apostrophes cinglantes et en mots crus. Quelqu'un eut alors l'idée de donner un emploi dans la production à Fernand Trignol, afin qu'il servît de tampon entre le doux metteur en scène et le bouillonnant acteur.

Trignol était un célèbre et curieux personnage. Il se faisait volontiers passer pour un truand, ce qui était probablement faux, mais son curriculum vitae était suffisamment abondant en dehors de cela pour le rendre pittoresque : à ses heures journaliste sportif et cinématographique, joueur impénitent, grand amateur de vin blanc sec, il était entré dans le cinéma comme « marchand de viande », autrement dit « fournisseur de frime », ou plus simplement recruteur de figurants. C'était un tel spécialiste de l'argot qu'il eût pu être professeur en Sorbonne si l'on y avait créé une chaire de langue verte. A défaut de quoi il était connu pour avoir, en 1936, servi de professeur-traducteur à Edouard Bourdet pour *Fric-Frac*, pièce à succès où les gens du milieu s'exprimaient dans leur langage habituel. Plein de verve, il serait capable d'éponger les possibles éclats de Gabin.

Daniel Gélin, alors à ses débuts, jouait dans le film le rôle du jeune instituteur amoureux et justicier. Ses souvenirs confirment combien l'idée d'engager Trignol était fameuse, car grâce à lui, c'est le Gabin drôle, gouailleur et de bonne humeur qu'on rencontra le plus souvent sur le plateau de *Martin Roumagnac*. Il amusait l'acteur, l'aidait à oublier son trac. Dans le même rôle et d'une manière différente, il y avait Marlène, adorablement gentille et visiblement amoureuse. Pour le jeune Gélin, c'était une surprise de voir cette grande star et le célèbre Gabin se conduire en dehors du tournage comme de jeunes tourtereaux. Sur le plateau, c'est leur professionnalisme qui l'éblouissait, cette singularité de l'homme — qui avait déjà tellement frappé Raymond Rouleau autrefois — de jouer avec une sobriété si extrême qu'il apparaissait à la limite de l'inexpressif alors qu'en projection il crèverait l'écran. Les qualités de Marlène étaient d'un autre ordre : impitoyable pour le chef opérateur, elle savait mieux que lui régler les éclairages. En matière de lumière et de maquillage, elle n'ignorait aucune des astuces propres à mettre son physique en valeur, à faire d'elle une vamp qui crèverait l'écran aussi, mais à sa propre façon.

Au mois d'août, elle tourna ses dernières scènes ; elle devait regagner l'Amérique le lendemain. C'était le jour de la fête des machinistes, ce qui donna à son départ une certaine solennité. Le décorateur Wakhévitch et ses assistants avaient transformé en bar un coin du plateau et l'avaient orné d'une large banderole sur laquelle on lisait : *Good bye, Marlène*. Les techniciens l'aimaient bien, car elle était consciencieuse dans le travail et agréable à vivre ; à chacun, elle avait offert un bleu de travail qu'elle avait fait spécialement venir d'Amérique. Lorsqu'elle apparut venant de sa loge pour trinquer avec eux, elle portait encore son corsage de dentelle et la jupe de satin du film. L'un après l'autre, elle les embrassa, franchement et fraternellement.

— Ben alors, Grande ! Et moi ? dit Gabin lorsqu'elle eut terminé.

Elle se précipita dans ses bras et y demeura un moment, sous l'œil attendri des autres. L'orchestre loué pour la circonstance joua la Marseillaise et, lorsqu'il lâcha sa partenaire, l'acteur lui donna une petite claque familière sur les fesses.

Après quoi, tous deux ouvrirent le bal. On sait quel valseur remarquable était Jean Gabin, et l'assistance les regarda, fascinée, avant d'entrer à son tour dans la danse. Comme le résume Daniel Gélin, Pépé le Moko faisait guincher l'Ange bleu — vu d'une certaine façon, c'était un moment historique. Le lendemain, Pépé le Moko emmena l'Ange bleu à l'aéroport. Il l'accompagna jusqu'à son avion, portant galamment, comme il se doit, son bagage à main. Ainsi avait-il accompagné à son train, des années avant, Michèle Morgan en partance pour Hollywood. Même rupture en douceur, mais pour d'autres motifs.

D'aucuns ont assuré que Gabin s'était montré jaloux et avait eu avec sa compagne des scènes violentes ; et sans doute est-il vrai que leur couple connut des crises. Mais il est certain que, le 6 août, il la mena gentiment à son avion et qu'ils ne se revirent plus par la suite.

En vérité, il ne faudrait pas oublier que les acteurs sont des acteurs, des gens pas comme les autres. Arrivés à un certain niveau, leur métier prime sur tout le reste ; il les a modelés, conditionnés. Gabin ne jouait pas à la star, il n'en avait pas moins son orgueil de vedette. Sa réapparition après tant d'années sur les écrans français lui donnait un trac fou. Il savait qu'il avait physiquement vieilli, que les événements de la guerre avaient modifié la mentalité du public ; il savait donc que sa rentrée n'était pas une partie facile ; il aurait voulu ne pas la rater. *Moontide*, rebaptisé en français *Péniche d'amour*, avait été persiflé par la critique parisienne, mais celle-ci, et lui-même, pouvaient mettre cet échec sur le compte des méthodes hollywoodiennes et de la façon dont les Américains l'avaient arrangé. *Martin Roumagnac*, au contraire, c'était *son* affaire, il en était responsable et lui accordait une grande importance.

Et sa rupture avec Marlène fut assurément consommée dans son for intérieur lorsqu'il se rendit compte qu'il avait commis l'erreur et la folie de la prendre pour partenaire, elle dont la nature de comédienne était à l'opposé de la sienne, elle dont René Barjavel écrivait déjà en 1937 : *Elle n'a plus rien d'humain. C'est une pure création industrielle, fignolée, vernie et automatique*, et un autre critique, Le Furet, en 1938 : *On lui a trouvé un genre. Elle s'y est elle-même mise à confire comme en un bocal.*

Il s'était mis dans le même bateau que cette actrice

93

artificielle et figée sans pressentir qu'elle le mènerait au naufrage. Pendant le tournage, pas mal d'échos douteux sur son âge avaient paru dans la presse. Bien que sa beauté fût toujours éclatante, sa silhouette impeccable, et persistant son sex-appeal, les journalistes prenaient un malin plaisir à écrire qu'elle était grand-mère — ce sont des choses qui amusent toujours le public. Elle avait quarante-cinq ans, c'était une évidence, et un âge crucial pour une reine de la séduction dont les méchants guettent le déclin. Et parce que sa performance dans *Martin Roumagnac* n'était pas convaincante, parce que d'autre part Gabin n'avait que peu d'années de moins qu'elle, on évoquait son déclin à lui. On écrivait que le film eût été un échec sanglant sans la notoriété de leurs noms et, en toutes lettres : *Un film moyen avec deux vedettes sur le retour... Deux vedettes qui feraient bien de finir en beauté.*

Une vedette sur le retour, Seigneur ! Finir en beauté ! Comme c'était dur à avaler. Et comme il devait être dur pour Gabin de lire, dans un article de René Thévenet, après un éloge lyrique de sa carrière d'avant-guerre le qualifiant notamment de *plus grand personnage tragique du cinéma français et peut-être le seul*, cette conclusion terrible : *Mais Jean Gabin est mort.*

Etre responsable d'un échec, ou même simplement liée à un échec, c'était là l'impardonnable péché de Marlène, une raison suffisante pour ne plus la revoir, essayer de la rayer de sa mémoire et ne plus vouloir entendre parler d'elle, ce que fit Gabin, semble-t-il, sans effort.

— Si elle croit que le petit Français va l'attendre, elle se goure, dit-il sobrement à son habilleuse.

Mais peut-être elle, Marlène, bien que *Martin Roumagnac*, pourtant remonté sur son initiative par un Américain, fût un échec aussi aux Etats-Unis, peut-être croyait-elle qu'il allait l'attendre ou tout au moins que l'avenir les réunirait à nouveau. Des deux, c'est elle qui était le plus amoureusement attachée. Près de dix ans plus tard, Jean Marais, qui s'était lié d'amitié avec elle, constatait qu'elle était toujours éprise de Gabin. Elle l'entraînait à tous ses films, parlait inlassablement de lui jusque tard dans la nuit et lui demandait d'aller s'asseoir avec lui pendant des heures à la terrasse d'un café peu éloigné de l'immeuble où habitait l'acteur, dans l'espoir de l'apercevoir ne fût-ce qu'une seconde. Elle était encore la séduction même et était toujours mondialement célèbre. Abandonnant peu à peu le cinéma, elle avait découvert sa vraie voie, le « one-woman show », où elle pouvait faire s'épanouir avec efficacité et pour le plus grand plaisir du public son art de se mettre en valeur, son expérience des éclairages magiques et des effets artistiques mis au service d'une voix prenante. Elle avait encore une longue carrière devant elle, en dépit de ceux qui l'avaient crue finie à quarante-cinq ans. Elle pouvait être satisfaite d'elle-même, mais Gabin lui manquerait toujours, elle ne l'oublierait jamais, chacun en serait témoin. Lui, s'il ne l'avait pas oubliée, l'avait enfouie joliment profond dans ses souvenirs.

Il avait bien d'autres chats à fouetter. Il lui fallait reconquérir sa couronne, démontrer qu'il n'était pas une vedette sur le retour, qu'il n'était pas mort. D'une certaine manière victime des critiques qui, tout en l'encensant, voyaient en lui plus l'incarnation d'un mythe qu'un comédien conscient et intelligent, il leur fallait leur prouver le contraire. C'était ça ou abandonner, se recycler dans un tout autre métier, un métier où il n'y aurait plus de journalistes pour éplucher les faits et gestes de sa vie privée, plus de critiques pour chipoter sur son talent — qu'ils lui reconnaissaient toujours mais dont ils contestaient l'emploi.

On peut dire qu'il les avait dans le nez, ces gens-là à cette époque-là. Les propos qu'il tenait à leur sujet confinaient dans leur excès à la mauvaise foi. Il n'hésitait pas à proclamer : *J'aime pas qu'on parle de mes films. J'ai horreur des gens de cinéma, d'avoir des conversations d'acteurs. J'aime pas le monde, le bruit... Partout on vous regarde comme une bête curieuse. Tout ce qu'on dit est interprété de travers. Qu'est-ce que ça peut bien leur faire que je sois bon ou mauvais dans un film ? Ça ne les regarde pas !*

Il fallait être un drôle de zèbre pour dire des choses pareilles, mais aussi avoir un sacré trac, être habité par une grande angoisse de ne plus être à la hauteur de soi-même. Et ce n'est pas *Miroir*, qui sortit sur les écrans l'année suivante, qui allait redorer son blason et le rassurer. Il y jouait le rôle d'un homme arrivé dont les activités apparentes cachent des trafics illicites. Des lustres plus tard, Jacques Siclier le définirait ainsi : *Gabin, dans les costumes croisés d'un grand bourgeois, traîne le passé d'un Pépé le Moko qui ne serait pas mort sur le port d'Alger dix ans plus tôt*, ajoutant, ce qui rejoint les critiques de l'époque : *Cette intéressante évolution du mythe est malheureusement affadie par la médiocrité du film.*

Un coup pour rien, *Miroir*. C'est à peine si l'acteur tirait sa propre épingle du jeu. *Au-delà des grilles*, l'année suivante, lui donna une meilleure chance. Le réalisateur en était un homme de trente-cinq ans, René Clément, que son premier long métrage, *La Bataille du rail*, avait mis d'emblée dans les grands de sa profession. Sur une intrigue dont certains éléments — les grilles fermant le port, Gabin jouant un assassin en fuite — rappelaient les anciens rôles de l'acteur, René Clément fit un film solide et d'un ton nouveau, pour lequel il obtint le grand prix de la mise en scène au Festival de Cannes. Sans entrer dans tous les détails du scénario, adapté par Jean Aurenche et Pierre Bost, qui avaient déjà figuré au générique de films aussi fameux que *La Symphonie pastorale* et *Le Diable au corps*, il faut situer le héros, Pierre, qui a tué sa maîtresse parce qu'elle le trouvait trop vieux ne l'aimait plus, et qui, en prenant la fuite, essaie d'échapper au châtiment. Le cargo dans lequel il a embarqué fait escale à Gênes et il pourrait rester bien peinard à bord s'il n'était pas pris d'une violente rage de dent. Il descend à terre à la recherche d'un dentiste, rencontre une adolescente puis sa mère, serveuse de restaurant, qui l'aident et sont, à l'insu l'une de l'autre, sensibles à son charme. Mais elles ne peuvent empêcher que Pierre soit pris par la police et arrêté.

René Clément avait filmé cette histoire dans les décors naturels de Gênes, avec ses ruines et ses misères, faisant de la ville un élément de l'action et écartant de sa narration tout romantisme superflu pour s'attacher aux réactions intimes de ses personnages. Il avait obtenu d'Isa Miranda, vamp des années trente qu'il choisit pour le rôle de la serveuse qu'elle jouât mal coiffée, à peine maquillée et en vêtements minables — exactement le contraire de Marlène dans *Martin Roumagnac*.

CHAPITRE IX

Jean Gabin avait détesté le tournage de *Au-delà des grilles* parce que, selon l'habitude italienne, la bande avait été sonorisée après le tournage : en jouant, il parlait français et les autres italien, mais on ne prenait pas le son, la synchronisation étant faite ensuite. Malgré quoi le film obtint moult récompenses, y compris l'Oscar américain du meilleur film étranger.

C'était un excellent film à l'occasion duquel les critiques écrivirent que, décidément, René Clément s'y affirmait comme un des meilleurs nouveaux cinéastes d'après-guerre. Le dépouillement de sa narration fut presque unanimement loué. On reconnut à l'œuvre de la rigueur, de la précision, mais aussi du cœur.

Jean Gabin fut également jugé remarquable, avec cependant des nuances, non pas à propos de son talent mais dans l'appréciation de son personnage. Le naturel et la vérité de son jeu avaient tellement marqué ses rôles antérieurs au conflit mondial que, grands souvenirs pour les cinéphiles, ils lui collaient à la peau et mettaient dans l'esprit des critiques une nostalgie qui, à la limite, était un hommage à ses inoubliables créations mais sonnait aussi comme un reproche de ne plus être le jeune homme qu'il avait été. Claude Mauriac, rappelant que l'assassin joué par Gabin a tué sa maîtresse parce qu'il ne lui plaisait plus, étant devenu trop vieux, concluait : *Tel est le vrai thème de ce film cruel qui mériterait d'être le dernier de Jean Gabin en tant que don Juan des faubourgs et où l'acteur ose nous montrer son tragique visage nu des jours sans cinéma. (...) La caméra saisit à sa source même le secret d'une vie, et c'est terrible.* Et dans *Combat*, Jean-Pierre Vivet écrivait : *On ne peut que féliciter Jean Gabin d'avoir eu le courage d'interpréter un rôle ingrat qui, parce qu'il correspond à son physique actuel, pourrait faire croire que lui-même est devenu un homme sans espoir.*

C'était moins dur à encaisser que d'être taxé de comédien sur le retour — et encore ! — mais c'était agaçant, cette façon qu'avaient les journalistes de scruter les apparences successives comme un entomologue étudie l'évolution des phases de la vie d'un insecte.

Seulement, n'allez pas croire que Gabin était devenu un « homme sans espoir » et que « son visage nu des jours sans caméra » était, ce qu'avait l'air de prétendre Claude Mauriac, celui d'un malheureux. Car, entre le tournage de *Au-delà des grilles* et sa sortie sur les écrans parisiens, il s'était passé au moins deux événements d'importance.

Le premier dans l'ordre chronologique, c'est qu'il avait joué une pièce dans un des plus beaux théâtres de Paris, les Ambassadeurs, et y avait remporté un énorme succès. La pièce était d'Henri Bernstein et s'appelait *La Soif* ; elle avait été écrite spécialement pour Jean Gabin. Ses partenaires étaient Madeleine Robinson et Claude Dauphin.

Henri Bernstein était alors depuis près de cinquante ans l'auteur français le plus célèbre mais pas le moins contesté. Sa première pièce, *Le Marché*, avait été montée en 1900 par le grand Antoine dans son Théâtre libre. Echec complet. Sabrage de la critique. Sa pièce suivante, *La Griffe*, Antoine voulait néanmoins la créer également, mais le jeune auteur — moins de trente ans à l'époque — avait eu la patience d'attendre que Lucien Guitry, acteur favori du public, qui avait manifesté de l'intérêt pour le manuscrit, se trouvât libre. Il avait ainsi inauguré ce qui serait constamment sa politique : n'accepter d'être joué que par des vedettes et écrire de grands rôles pour elles. Cela lui assurait des théâtres pleins même si la critique le dénigrait, ce qu'elle commença à faire entre les deux guerres, à mesure que lui-même croyait affiner son art et en faire de plus en plus le tableau de la société contemporaine sans foi ni amour, à mesure aussi que des auteurs nouveaux comme Pirandello ou Jean Giraudoux inventaient des manières neuves de présenter la comédie humaine à la scène.

Fils d'un financier israélite, c'était un grand bourgeois dont les pièces, consacrées à l'argent, à l'amour, au désir, à la jalousie, situées dans de luxueux décors de salons ou de chambres à coucher, tendaient à une clientèle bourgeoise et fidèle un miroir dont les reflets faisaient de ses problèmes quotidiens des drames palpitants. Ces pièces, qui paraissent aujourd'hui démodées du fait de l'évolution des mœurs et de celle des techniques théâtrales, étaient solides, bien construites, efficaces. Toujours servies par une interprétation magnifique, elles étaient mises en scène par l'auteur lui-même, qui avait l'art de leur donner naturel et crédibilité. *La phrase la plus mélodramatique*, explique Jean-Pierre Aumont, *il savait la rendre simple en nous suggérant une hésitation, un soupir, la contemplation de nos ongles ou la manipulation d'un bras de fauteuil.*

De 1920 à 1939, il avait dirigé le théâtre du Gymnase pour reprendre ensuite, à la veille de la guerre, celui des Ambassadeurs. Il avait passé les années d'occupation aux Etats-Unis où il avait fondé un French American Club pour rallier l'élite américaine aux Forces françaises libres. A son retour, il avait repris son théâtre. C'était un grand vieillard à la puissante ossature, à la chevelure bouclée, à la personnalité affirmée. De caractère difficile et bourru, il était orgueilleux, autoritaire et susceptible ; mais il s'exprimait d'une voix douce et charmeuse et il était difficile de résister à sa séduction persuasive pour peu qu'il voulût se donner la peine de plaire.

A New York, il avait écrit une pièce que Jean-Pierre Aumont avait jouée en anglais une soixantaine de fois mais qui n'avait pas eu les honneurs de Broadway. Lorsqu'il fut rentré en possession des Ambassadeurs, il rouvrit le théâtre avec la reprise d'une de ses anciennes pièces mais il n'entendait pas, bien qu'il eût derrière lui plus de quarante-cinq ans de carrière féconde et brillante, renoncer à créer de nouvelles œuvres.

C'est alors qu'intervint André Bernheim, producteur de théâtre et agent d'acteurs. Cet homme avisé et très réputé dans le monde du spectacle était, d'une certaine manière, un cadeau laissé par Marlène Dietrich à Jean Gabin. C'est elle en effet qui avait suggéré à l'acteur une sérieuse rencontre avec Bernheim et de le prendre pour imprésario. Ce faisant elle lui avait donné, outre un bon homme d'affaires, un ami pour la vie. Il avait négocié la participation de Gabin au film de René Clément — premier bon point. Il eut ensuite l'idée de faire faire à son poulain une performance théâtrale.

On était en 1948. Ça faisait presque vingt ans que Jean Gabin n'était plus monté sur les planches et sa réussite cinématographique avait pratiquement fait oublier qu'il eût jamais joué une pièce. Oubliées ses apparitions au Moulin-Rouge avec Mistinguett, où il avait cependant ébauché, selon Jacques-Charles, sa silhouette de mauvais garçon dans les sketches célèbres de notre Miss nationale. Oublié le temps où il chantait l'opérette aux Bouffes-Parisiens. Pour le public, Gabin au théâtre serait une nouveauté, une sensation de nature à faciliter le virage de sa carrière en piquant la curiosité et en secouant l'opinion.

Comme Bernheim était également l'ami de Bernstein, qui se trouvait plus ou moins dans la même situation que l'acteur — dans le besoin de reconquérir sa prééminence après une longue absence —, il fit se rencontrer les deux hommes au cours d'un déjeuner. Henri Bernstein y déploya toutes ses grâces charmeuses et sut — chose pas tellement facile — forcer le mutisme de Gabin. Celui-ci parla de lui, de sa vie, de ses rapports avec les hommes et les femmes. A partir de cette conversation, l'auteur bâtit *La Soif*. Les héros, qui portaient sur la scène leurs propres prénoms, en étaient un peintre célèbre, un grand médecin, une femme du monde ; les ressorts dramatiques, l'amour, l'amitié, la jalousie et la sensualité, cette soif dévorante. Comme l'écrivait Jacques Bauer en conclusion à son résumé de la pièce : *Triomphe de l'homme âgé* (Jean) *pour lequel l'amour est une*

100

nécessité créatrice, sur un homme plus jeune qui ne lui apporte pas les mêmes gages.

La pièce remporta un vif succès et demeura plus d'un an à l'affiche. Elle était remarquablement mise en scène et jouée, et, personnellement, Gabin obtint un triomphe. Dans *Opéra*, Francis Ambrière eut ces paroles élogieuses : *On attendait un acteur et on trouve un homme ; un artiste et l'on trouve un maître. On ne peut pas être plus grand comédien que cet homme qui est là devant vous avec une chaleur et une qualité de présence extra-ordinaires.* Peut-être Jean Gabin, en lisant ces phrases, concéda-t-il pour une fois au moins à la critique le droit de l'apprécier.

Pendant les répétitions et tout le temps des repré-sentations, il fut d'une conscience professionnelle exem-plaire, le seul acteur, dit Bernstein — qui en avait pour-tant connu beaucoup —, qui joua aussi bien à la dernière qu'à la générale. Comme d'habitude, il lui arriva de se montrer sauvage, farouche, ou de faire quelque éclat — et il y eut parfois des jours difficiles avant que le spectacle fût au point. Mais il avait de l'estime pour Bernstein et l'appelait Papa.

En vérité, le souvenir de son vrai père était présent dans cette entreprise. Dans sa loge des Ambassadeurs, Jean avait affiché son portrait. Les dissentiments qu'il avait pu avoir avec lui dans sa prime jeunesse, le dédain qu'il avait éprouvé pour sa condition d'artiste, étaient abolis. Maintenant, il se souvenait avec émotion de la probité paternelle qui l'avait maintenu dans le droit che-min, de l'obstination du beau Gabin à lui faire embrasser la profession où il était devenu un maître. S'il avait accepté de jouer *La Soif*, c'est en partie parce que le père avait toujours secrètement ambitionné de jouer Bernstein — ambition déçue qu'il était donné au fils de réaliser *in memoriam*. Pudique de ses sentiments jusqu'à en paraître mal embouché, il exprimait sans mot dire par cette image amour filial, remerciements, nostalgie du jeune temps. D'autres photographies disaient tout aussi muettement des sentiments de la même espèce : une de l'acteur Bach qui avait parrainé ses débuts, une de Mistinguett, une de Dranem avec cette dédicace : *Mon ami, Jean Gabin, tu as du talent et, si tu travailles, tu dois arriver.* Pour tous ces gens qui l'avaient poussé presque malgré lui dans sa voie royale, il avait fait l'effort d'apprendre par cœur — lui qui avait eu tant de dégoût pour cela —, d'apprendre des centaines de répliques et de les restituer au public avec aisance et naturel, comme s'il les inventait dans l'instant.

Cet effort reçut une double récompense car c'est peu de temps avant la générale que survint le deuxième événement majeur de cette époque-là : il tomba amoureux. Sûr, ce n'était pas la première fois ! Tout jeune, il était le Casanova de Clignancourt, pour reprendre un mot de sa première femme, Gaby Basset. Il avait eu deux épouses légitimes et des liaisons plus ou moins éphémères avec beaucoup de ses partenaires — dont deux au moins avaient défrayé la chronique. Bien qu'il ne fût plus un tout jeune homme et n'en eût aucunement l'apparence — Bernstein, dans le générique de sa pièce, l'avait vieilli de sept ans et en avait fait l'aîné de Claude Dauphin, plus âgé que lui dans la réalité —, il était très séduisant. Il est évident que les femmes lui portaient de l'intérêt.

Mais il n'est pas certain qu'il avait dans l'amour — l'amour dans la durée, l'amour qui rend fort et heureux — une bien grande confiance. Ses mariages s'étaient soldés par des divorces ; son idylle avec Michèle Morgan avait tourné court, en dernier lieu parce que l'actrice, soucieuse de sa carrière américaine et du perfectionnement de son anglais, avait espacé leurs relations à Hollywood. Avec Marlène Dietrich, il avait commis la cuisante erreur de la vouloir pour partenaire, afin de la retenir plus longtemps auprès de lui, et ça avait tourné à sa confusion. Il faut bien dire que toutes ces femmes qui avaient joué un rôle dans sa vie appartenaient au monde du spectacle et que, d'une façon ou d'une autre, c'est le métier qui les avait séparés. Si jamais il lui arrivait d'éprouver à nouveau un amour sincère, si lui revenait la tentation du mariage, que Dieu veuille que ce ne soit pas avec une actrice !

La générale de *La Soif* était proche lorsque lui arriva une aventure banale — banale mais comme marquée par le doigt du destin, sous une apparence de comédie de salon. Un de ses amis, Maurice Olivier, avait arrangé un dîner avec un camarade, Frédéric Sanet, dans un restaurant élégant. Frédéric amènerait une actrice et l'autre son épouse qui s'était fait faire pour la circonstance une très jolie robe neuve et se réjouissait d'avance de l'exhiber pour une sortie à quatre qui promettait d'être agréable.

Or, Maurice Olivier se trouva empêché au dernier moment. Voyant sa femme très déçue, il demanda à Jean Gabin de bien vouloir la sortir à sa place. L'acteur commença à regimber, il en était à ce moment des répétitions où il semble que la pièce ne s'ordonnera jamais et se sentait physiquement sur les genoux. Mais l'autre insista tant et si bien qu'il accepta. Or, de son côté, Frédéric Sanet eut un petit ennui : l'actrice qui devait être sa cavalière lui fit savoir qu'elle était souffrante et ne pourrait l'accompagner. Il feuilleta son carnet d'adresses, y trouva le numéro de téléphone d'un mannequin qu'il connaissait un peu et l'appela. La demoiselle était libre et accepta l'invitation.

Ainsi, ni Jean Gabin ni Christiane Fournier, rebaptisée Dominique par la maison Lanvin de qui elle présentait les robes, n'auraient dû se trouver ce soir-là dans le même restaurant et à la même table. Mais cela arriva et ils devinrent très amoureux l'un de l'autre presque dans l'instant qu'ils firent connaissance. Leurs regards s'attiraient comme des aimants. Dominique était très belle, les pommettes bien dessinées comme Marlène Dietrich ou Michèle Morgan, les yeux clairs, les cheveux blonds, un corps superbe — l'idéal physique de Jean.

Une quinzaine de jours plus tard, Frédéric Sanet la réinvita, non plus pour remplacer quelqu'un d'autre, mais sur la demande expresse de Gabin — et c'était à la générale de *La Soif*, suivie comme toutes celles de Bernstein d'une somptueuse réception. En attendant, l'acteur avait fait la cour à sa belle en lui envoyant chaque jour d'énormes bouquets de roses.

Que de bonheur en un seul soir : une victoire incontestée dans le match livré sur la scène des Ambassadeurs — et l'amour en plus, l'amour d'une femme qui était belle comme une actrice mais n'en était pas une, d'une femme élégante comme le sont les mannequins parisiens mais prête à abandonner son métier pour devenir tout simplement une épouse.

Car c'est ce qu'elle fit, et très vite. Quelques semaines après cette triomphale soirée, la maison Lanvin voulut l'envoyer pour quelque temps à l'étranger.

— N'y vas pas, dit Jean. Laisse tomber et marions-nous, tu veux ?

— D'accord !

Ils se marièrent le 28 mars 1949, trois mois après avoir fait connaissance, à la mairie du XVIᵉ arrondissement de Paris. Le soir, il y eut une réception chez Maxim's, avec un orchestre musette. Et, avant la fin de l'année, naquit le premier enfant du couple, une fille qu'ils appelèrent Florence. Jean Gabin se dit que c'était le plus beau jour de sa vie. A un journaliste venu l'interviewer le lendemain dans sa loge des Ambassadeurs, il ne cacha pas son bonheur. A propos de cette fillette d'un jour, il déclara qu'elle serait une enfant heureuse mais pas une enfant gâtée. Les mômes, il fallait les traiter avec douceur, sans sévérité excessive, mais ne rien leur passer. Il parla de ses parents, dit que, grâce à eux, il avait appris à ne pas être un voyou, à aimer et à respecter le travail, et qu'il s'en souviendrait pour élever Florence.

Il était heureux, regardait l'avenir avec lucidité et courage. Il n'envisageait pas de refaire du théâtre, parce que pour lui le théâtre c'était l'esclavage, l'usine où il faut être à l'heure et pointer. Au cinéma au moins travaillait-on le jour ; le soir, on pouvait manger à son appétit et se livrer aux joies de la famille. Il espérait que bientôt on lui amènerait une histoire, même une petite histoire, pourvu qu'on lui donnât un rôle plus mûr, pas celui d'un tueur.

Maintenant qu'il avait une famille à nourrir, son premier objectif était de bosser pour la mettre à l'abri des mauvais coups du sort. Il n'était pas très riche. Il n'avait pas gagné un sou tout le temps qu'il était soldat et son divorce l'avait à moitié ruiné. Il avait été contraint de vendre l'hôtel particulier qu'il avait près du bois de Boulogne et avait vécu sa lune de miel dans un modeste appartement de Versailles. Mais il n'allait pas se laisser faire par la vie. Il était décidé à en gagner, de l'argent. S'il ne retrouvait pas sa place au cinéma, la première, il changerait de métier. Il achèterait de la terre, deviendrait éleveur ou agriculteur. Il avait tout ça dans la tête. En attendant, il fallait faire des films, beaucoup de films — pour regrimper au sommet ou avoir la possibilité de réaliser son rêve de rechange.

Tout en jouant *La Soif*, d'ailleurs, il avait tourné. Il avait acheté les droits d'un roman de Georges Simenon, *La Marie du port*, et demandé à Carné de le réaliser. Eh oui ! à Carné. Ils étaient brouillés, mais les réconciliations, ça existe ! Et refaire un film ensemble lui paraissait devoir être bénéfique à tous deux. Car Carné n'était pas au mieux de son standing. Son idée géniale, le soir où il avait assisté au *Rendez-Vous* avec ses bons amis Prévert, Gabin et Marlène Dietrich, ne lui avait pas porté bonheur non plus. Après ses différends avec les deux vedettes, il s'était entêté à réaliser *Les Portes de la nuit* avec d'autres acteurs. Pour remplacer Gabin, il avait choisi un garçon qui venait de faire une percée éclatante comme chanteur mais n'avait jamais été acteur : Yves Montand ; et pour le rôle de Dietrich, une débutante : Nathalie Nattier. Tourné à grands frais, le film avait eu une critique et une carrière médiocres. Son film suivant, Carné n'avait pas pu le terminer, et son projet ultérieur avait échoué avant d'avoir pris forme.

Lorsqu'il apprit que Gabin désirait qu'il tournât *La Marie du port* avec lui, l'amertume lui revint et il songea à refuser, mais, après il se dit que l'immense talent de l'acteur et sa valeur professionnelle valaient bien un raccommodement. Il était touché également par le fait que Gabin, à ce qu'il entendait dire, était un des rares défenseurs des *Portes de la nuit*. Il marqua son accord pour une rencontre mais se réserva la jouissance de dire, d'entrée de jeu :

— Bonjour, salaud !
— On ne parle plus de ça, tu veux ! répondit l'acteur.

De fait, Marcel Carné se trouvait en présence d'un homme tout transfiguré par le bonheur d'aimer et d'être aimé, et qui avait laissé son mauvais caractère au vestiaire. Tout semblait l'amuser, au point que c'est avec le sourire qu'il révéla à son metteur en scène que Pathé lui avait fait un procès pour n'avoir pas joué dans *Les Portes de la nuit* et qu'il se retrouvait avec un dédit de trois millions à payer à la firme !

Le tournage de *La Marie* se déroula dans ce bon climat. Le temps lui-même fut clément. Pendant un mois d'extérieurs à Cherbourg, il ne plut qu'une fois. Dominique venait souvent auprès de son mari, enceinte et radieuse.

Le premier rôle féminin était tenu par une débutante qui avait obtenu son engagement grâce à son obstination à relancer Carné au téléphone : comme son personnage était celui d'une obstinée, elle décrocha le pompon. C'était Nicole Courcel, qui fut excellente.

Gabin, sous le nom de Chatelard, était dans ce film un commerçant mûr, riche et célibataire, propriétaire d'une brasserie et d'un cinéma. La Marie du port, Nicole Courcel, était une orpheline pauvre et renfermée, mais intimement décidée à sortir de sa condition. L'histoire racontait comment elle séduisait insidieusement Chatelard tout en le tenant à distance jusqu'à ce que l'homme, vaincu par l'amour, la demande en mariage et lui remette symboliquement les clés de la brasserie.

Cette œuvre sans tuerie ni mort violente obtint un succès de public mais pas l'approbation de la critique.

Continuant son analyse fine et impitoyable du cas Gabin, Claude Mauriac intitula son article du *Figaro littéraire* : *Don Juan cocu*, et dit notamment : *Notre don Juan des faubourgs apparaît pour la première fois vainqueur de la mort mais vaincu par l'amour auquel il veut bien maintenant consentir : seulement il est trop tard, et ses scénaristes les mieux intentionnés ne peuvent plus rien pour lui.*

Amen.

On lit de temps en temps dans les souvenirs des gens qui touchent au spectacle que Jean Gabin est demeuré deux ans, sinon trois, à côté de son téléphone en attendant qu'un producteur veuille bien faire appel à son talent et lui donner un rôle. La réalité est toute différente.

Mais il est exact que *La Marie du port* lui apporta peu. Peut-être était-ce une erreur de sa part d'avoir voulu Carné comme réalisateur, et une erreur de ce dernier d'avoir accepté. Avec honnêteté, le metteur en scène avait essayé de jouer avec Gabin tel qu'il était devenu, un don Juan effectivement vieilli, dans les aventures passionnelles ne seront plus jamais dépourvues d'ambiguïté. Il avait réussi mais c'était tant pis parce que cette réussite-là décevait les exégètes. Ils en étaient toujours à *Quai des brumes*, les exégètes, et c'est un miracle qu'ils attendaient de la réunion Carné-Gabin. Tout en sachant que ce miracle était impossible, ils ne pardonnaient pas qu'il n'eût pas eu lieu. Peut-être eût-il mieux valu que les deux hommes demeurassent brouillés : leurs retrouvailles furent, au mieux, un coup d'épée dans l'eau.

Alors, Jean Gabin fit quelque chose qu'il détestait : il s'en alla tourner en Italie. Cette année-là, 1950, il ne fit que ce film italien, et si l'on tient absolument à ce qu'il eût connu une traversée du désert, c'est alors qu'elle se produisit.

Car, l'année suivante, il en fit quatre, de films : *Victor*, d'après une pièce de Bernstein ; *La nuit est mon royaume* de Georges Lacombe, dans lequel son rôle de mécanicien de locomotive devenu aveugle lui valut le prix masculin d'interprétation au Festival de Venise ; *Le Plaisir*, de Max Ophüls, où il fut un paysan normand qui aurait enchanté Maupassant par sa vérité ; et *La Vérité sur Bébé Donge*, de Decoin, avec Danielle Darrieux.

Et puis quelqu'un eut l'idée de reformer à l'écran le couple le plus célèbre du cinéma français : Gabin et Morgan. Celle-ci avait finalement fait à Hollywood une carrière honorable, notamment avec *Joan of Paris*, qui avait eu un excellent succès de public et de critique. Mais, chose plus importante alors pour elle, elle s'était mariée avec un bel Américain blond, l'acteur Bill Marshall. Un petit garçon était né de ce mariage, qui avait été très heureux, puis assez heureux, jusqu'au jour où, la guerre finie, la jeune femme avait désiré revoir Paris et les siens, et retravailler dans sa patrie. Le joli couple s'était alors désagrégé, et l'aventure s'était terminée par un divorce douloureux. Bill ayant tout fait pour empêcher Mike, leur petit garçon, de vivre avec sa mère.

Lorsque Michèle Morgan et Jean Gabin se revirent, cette situation insupportable se perpétuait — l'actrice ne voyait pratiquement jamais son fils — mais elle s'était remariée avec Henri Vidal pour qui elle avait eu un coup de foudre, réciproque, en tournant avec lui *Fabiola*.

Mais si sa vie intime était difficile, sa vie professionnelle était étincelante. Au contraire de Jean Gabin, sa rentrée dans le cinéma français avait été triomphale avec un film de Jean Delannoy tiré d'un roman d'André Gide : *La Symphonie pastorale*. Au premier Festival de Cannes, l'œuvre avait reçu la suprême récompense et elle-même le prix d'interprétation féminine. Depuis, elle était une grande vedette, elle n'arrêtait pas de tourner, film après film.

Pour *La Minute de vérité*, celui qu'elle allait faire avec Jean, elle serait tête d'affiche. Ça lui avait fait un choc, à Michèle : pour Gabin, ce devait être cela, la traversée du désert.

CHAPITRE X

La Minute de vérité, où Gabin retrouva non seulement Michèle Morgan mais Daniel Gélin, qui avait été l'instituteur vengeur de *Martin Roumagnac* et le fils du héros à double vie de *Miroir*. Le metteur en scène en était Jean Delannoy, qui s'était illustré pendant la guerre avec un film exaltant, sous des costumes historiques, la résistance à l'occupant — *Pontcarral* — et un autre, *L'Eternel Retour*, transposition moderne écrite par Jean Cocteau du mythe de Tristan et Yseult. Pour Michèle Morgan, il était surtout l'homme qui, en la choisissant pour *La Symphonie pastorale*, lui avait permis de renouer sans souffrances avec sa carrière française. C'était un homme intelligent et affable, à l'abord un peu distant, qui n'aimait pas se cantonner professionnellement dans un seul genre et essayait sans cesse de se renouveler.

Pour raconter son nouveau film, dont il signa le scénario avec Henri Jeanson et Roland Laudenbach, il avait choisi un procédé proche du flash-back : tout au long de la nuit de leur dixième anniversaire de mariage, un médecin, Pierre Richard, et sa femme Madeleine, comédienne, ont une explication décisive sur leur passé commun. Le soir même. le médecin, appelé au chevet d'un jeune peintre qui vient de tenter de se suicider, a découvert, grâce à une photo et sans aucun doute possible, que le désespéré était l'amant de son épouse. Alors, en rentrant chez lui et devant le souper préparé pour fêter dix ans de « bonheur » il demande des explications. Madeleine les lui donne. L'un et l'autre ont commis des fautes. A l'aube, alors que la femme annonce qu'elle a décidé de rompre avec son amant parce qu'elle a pris conscience qu'elle tenait à sa vie conjugale plus qu'à lui, le médecin apprend par un coup de téléphone que le jeune homme vient de mourir. Et le film se clôt sur la réconciliation des époux.

Il fut bien accueilli par le public et reçut dans l'ensemble une bonne critique. La leçon donnée aux couples qui laissent l'indifférence grignoter leur amour fut vivement ressentie, et le film impressionna par son sujet. Quant à la technique : « *Voilà comment raconter une histoire !* » s'écria Jean-François Devay dans *Paris-Presse*. « *Un grand film* », titra le journaliste de *Ce matin-Le pays*.

Néanmoins, on fit à Gabin les querelles habituelles. Bien sûr, il y eut des éloges massifs, tels que : ... *la dernière scène au téléphone quand il apprend la mort que Michèle Morgan ignore encore, qu'il ramasse la photo et marque une indéfinissable évolution, appartient à un comédien complet ; cela ne s'invente ni ne se fabrique.* (R.-M. Arlaud dans *Combat*) ; ou encore, sous la plume de Claude Garson : « *Quant à Jean Gabin, il est Jean Gabin. Il plaît aux foules parce qu'il a, chose rare, une véritable présence sur l'écran.* »

C'était bien, mais même dans ces éloges, il y avait quelque chose d'ambigu, d'un peu gênant : la méconnaissance du travail de l'acteur. C'était merveilleux d'être reconnu champion de la présence et du naturel ; mais pourquoi ces gens qui le jugeaient avaient-ils l'air de croire que ça lui venait comme ça, sans effort de sa part ? Pourquoi avaient-ils l'air d'ignorer quelle abstraction de soi et quelle concentration étaient nécessaires pour se mettre dans la peau d'un autre et être cet autre avec « naturel » ?

Mais encore, ce n'était rien à côté de ceux qui non seulement ne comprenaient pas son boulot mais lui refusaient le droit de le faire — oui, le droit ! Simone

Dubreuilh, dans *Libération*, en conclusion d'un article où elle dénigrait tout — l'intrigue, la vérité, les personnages et leurs réactions —, écrivait : *Gabin, passif, n'est plus Gabin. Si grand comédien soit-il, ce rôle ne lui convient pas. On ne fait pas un cocu, presque content, de celui qui s'est successivement identifié au déserteur de « Quai des brumes », à l'officier de « La Grande Illusion », au mauvais garçon de « La Bandera » et de « Pépé le Moko », au meurtrier du « Jour se lève ».* C'était net, interdiction pure et simple de changer, de vieillir, d'enrichir la gamme de ses personnages. C'était net, mais assurément moins vexant que ces lignes de Jacqueline Michel dans *Le Parisien libéré : Jean Gabin sera toujours, pour le public, plus vraisemblable en chauffeur de locomotive qu'en médecin.* Ou ces autres, de la même encre, d'André du Dognon : *Il est entendu que Jean Gabin a plus l'air d'un médecin sorti de Maisons-Alfort que d'un membre de l'Académie de médecine, et qu'il reste toujours sur sa figure d'employé de la S.N.C.F. quelque chose de son passé.*

Bien amer, tout ça. En dernière analyse, même si le film connut un succès parfaitement honorable, la réunion du couple Morgan-Gabin ne se révélait pas plus authentiquement payante que les renouailles avec Carné...

Peut-être est-ce à cause de cette similitude de situation que Gabin retourna faire un film en Italie. A contrecœur sûrement bien que, malgré les railleries dont il avait été l'objet, il eût été choisi pour un autre rôle de médecin, montant en grade en quelque sorte puisque de généraliste dans *La Minute de vérité* il devenait chirurgien ! — à contrecœur parce que ce n'était pas une fête de s'expatrier, de quitter sa famille, une famille qui était justement sur le point de s'agrandir.

Quand Jean Gabin, momentanément mais tristement exilé, apprit la naissance de Valérie, il se mit à pleurer. Micheline, son habilleuse, n'en revenait pas. Elle n'avait jamais vu pleurer son patron — et Dieu sait qu'elle en connaissait un bout sur lui : ça faisait vingt ans qu'elle avait commencé à travailler avec lui. Elle avait connu ses amourettes, ses passions, ses déceptions, ses contrariétés — et elle savait qu'il avait le cœur sensible. Mais ses chagrins, ses désappointements, il les déguisait : il poussait des gueulantes ou s'enfermait dans un sombre mutisme. Cette fois, en apprenant qu'il avait une deuxième fille, et que la mère et l'enfant se portaient bien, il ne parvint pas à masquer son émotion et il laissa couler ses larmes.

Car sa famille, dans ces temps secrètement difficiles, c'était son bonheur, son havre, son levier. S'il continuait à faire des films, s'exposant aux banderilles des censeurs ou aux désagréments de l'éloignement, c'était pour elle. Père aimant, attentif aux bobos des siens jusqu'à en paraître maniaque, il n'était pas démonstratif — pas du genre qui fait sauter les moutards sur ses genoux — mais il se sentait terriblement responsable. En épousant Dominique et en lui faisant des gosses, il s'était tacitement engagé à les faire vivre et à assurer leur avenir. C'était aussi simple que ça. Et comme, jusqu'à preuve du contraire, il ne gagnait de l'argent qu'en faisant l'acteur, il était acteur — même si on le demandait pour quelque chose qui risquait d'être un navet, même si le rôle ne lui plaisait pas des masses, même s'il lui fallait venir en Italie.

S'il ne récupérait pas sa gloire et sa couronne, au moins voulait-il de l'argent et rebâtir sa fortune. Mine de rien, il était en bon chemin : il ne dépensait pas tout ce qu'il gagnait ; il investissait ; et pas dans n'importe quoi : dans la terre. Son père, jadis, avait acheté une maison à la campagne pour y élever les siens au contact de la nature. Il faisait de même, mais essayait de le faire en mieux : en plus grand, en plus efficace. Dès 1948, l'année de *Au-delà des grilles*, il avait acheté quarante-deux hectares à Digny, en Eure-et-Loir. Et cette année même, cette année de la naissance de Valérie, il allait acheter une autre quarantaine d'hectares à Bonnefoi-les-Aspres, autour d'une maison du XVIIe siècle qu'on appelait La Pichonnière. Ce serait le noyau de son domaine. Il allait s'installer là avec sa famille, agrandir, défricher, faire du bel herbage et élever des vaches laitières. Il potassait des bouquins, s'informait. Il voulait s'entourer de gens compétents, naturellement, mais s'y connaître aussi, être un vrai bon fermier. Si Dieu lui prêtait vie et lui permettait de tourner encore quelques films, il aurait une exploitation moderne et modèle, un métier plus sûr que celui de saltimbanque ; il pourrait tourner le dos à ces enquiquineurs de journalistes qui faisaient la petite bouche et ne le trouvaient pas conforme à l'idée qu'ils se faisaient de lui.

Et ce serait faire d'une pierre deux coups car, depuis Mériel, depuis l'époque où, enfant renfermé, il se sentait des affinités profondes avec la nature, les animaux, les prés et les forêts, il lui arrivait de penser que sa vocation profonde, c'était les métiers de la terre. De plus ayant, comme on dit, une brique dans le ventre, l'idée de construire des maisons, des étables, des laiteries superbes et des écuries l'excitait terriblement. Quoi qu'il arrive, il s'y préparait.

En 1953, il fit trois films : un de Georges Lacombe, *Leur dernière nuit, La Vierge du Rhin* dont le metteur en scène, Gilles Grangier, deviendrait l'un de ses favoris, et enfin *Touchez pas au grisbi*. Ce dernier film opéra le miracle de lui concilier de nouveau l'admiration sans restriction de la presse. Et, pourtant, il avait failli ne pas le faire.

C'était l'œuvre d'un réalisateur qui avait été l'assistant de Jean Renoir et apparaissait comme son continuateur, avec néanmoins une forte personnalité et un style propre qui le mettaient au premier rang des réalisateurs de sa génération. Il s'appelait Jacques Becker, avait une ascendance anglaise, était secret, complexe, perfectionniste — et doué pour l'amitié. Un de ses grands succès avait été *Le Rendez-Vous de juillet*, fresque de la jeunesse exubérante de Saint-Germain-des-Prés autour d'un jeune explorateur acharné et tenace. Il en avait confié le rôle à Daniel Gélin. Un peu plus tard, il avait repris le même acteur comme vedette de deux autres films. Une solide amitié était née entre les deux hommes, bien que l'un eût quinze ans de plus que l'autre. Un jour, Becker passa à Gélin un roman d'Albert Simonin en disant :

— J'ai songé à toi pour le rôle.

C'était l'histoire d'un truand qui veut se ranger des voitures et prendre sa retraite après un dernier coup substantiel. Becker, qui aimait situer socialement ses sujets — *Falbalas* dépeignait le monde de la couture, *Goupi Mains rouges* celui des paysans, *Antoine et Antoinette* les jeunes ouvriers parisiens —, était attiré cette fois par la description du milieu des truands.

Daniel prit connaissance du livre et déclara vertement que le rôle n'était pas pour lui. Il avait à peine dépassé

113

la trentaine, il ne se voyait ni physiquement ni moralement dans la peau d'un gangster repenti, et n'avait d'ailleurs jamais joué de rôles de dur.

— Pour moi, ça ne fait pas un pli, dit-il. C'est un rôle pour Gabin.

— Gabin ? Mais Gabin n'intéresse plus personne, rétorqua Becker.

Alors, Gélin se mit en colère. Il avait fait trois films avec Gabin, et même dans *Martin Roumagnac,* d'assez moche mémoire, il avait énormément admiré le jeu sobre et inimitable de son aîné. Il rappela à son ami *La Grande Illusion* et *La Bête humaine* auxquels Becker avait collaboré en tant qu'assistant et clama son indignation.

— Toi qui le connais bien, tu parles comme un producteur ignare ! Tu n'as pas honte ?

Il n'avait apparemment pas honte mais il était vexé, Becker, et il demeura brouillé pendant quelque temps avec ce petit Gélin qui prétendait lui donner des leçons. En avril 1953, on put lire dans les journaux qu'il se préparait à tourner *Touchez pas au grisbi* — le roman de Simonin — avec François Périer dans le rôle de Max le Menteur, personnage principal.

Mais à la fin de l'année, quand commença le tournage, c'est Gabin qui le jouait. *En approfondissant le scénario,* affirme Gélin, *il* (Becker) *finit tout de même par s'apercevoir que, pour jouer un ancien truand, sorte de Pépé le Moko en retraite, il fallait Gabin, et Gabin seul.* Il ajoute : *Le producteur sans trop d'enthousiasme en profita pour le sous-payer.*

Possible qu'il en profita, le producteur, et ainsi se fit-il encore un peu plus de « grisbi », car le film connut un énorme succès. Le public se précipita à cette histoire d'un gangster qui aspire à la retraite, que les femmes, même folles de lui, n'intéressent plus guère, mais qui tient assez à l'amitié pour abandonner les cinquante millions de son hold-up en échange de la vie de son vieux copain, pourtant responsable des emmerdes qui leur sont tombées dessus. Mais il ne pourra pas empêcher son ami de mourir ; ainsi aura-t-il tout perdu, l'affection et l'argent qui devait dorer ses vieux jours.

Pleine de suspense, admirablement racontée, cette

« série noire » reçut également l'approbation de la critique. Claude Mauriac, parlant de Becker : *Yves Allégret, Claude Autant-Lara et André Cayatte ont trouvé leur maître. Il nous plaît que ce soit un disciple de Renoir.* Georges Sadoul : *Mon Dieu ! que ce film est bien fait ! Et quelle distribution ! Voilà au moins deux ans que Jean Gabin n'a pas eu un aussi bon rôle.*

Car la critique avait enfin retrouvé *son* Gabin. Jean de Baroncelli ne cachait pas sa joie de pouvoir rendre à son personnage une dimension philosophique. Il le qualifiait de « montherlanesque », d'homme qui a soif de repos, de solitude, d'éloignement du monde, et dont le « démon du bien » cher à Montherland est celui de l'amitié. Mais il n'en oubliait pas pour autant l'acteur : *Dans un rôle taillé à sa mesure, nous retrouvons le Gabin des grands jours, superbe et magnifique, étonnant d'assurance, de calme, avec cette petite flamme de sensibilité qui brûle derrière le masque impassible.*

C'était un concert unanime de louanges et si l'on reparlait comme d'habitude de *Pépé le Moko* ou du Jean de *Quai des brumes*, c'était pour situer Max le Menteur dans la même lignée. *Si vous saviez la joie que vous nous avez donnée de vous retrouver totalement conforme à ce que nous aimions en vous !* s'exclamait Chazal. Et Jean Néry, dans *Franc-Tireur* : *On ne dira jamais assez la chance qu'a eue le film de rencontrer Jean Gabin et la chance qu'a eue Gabin de rencontrer le film. France-Soir* affirmait qu'il faudrait *avoir vu Gabin dans le rôle de Max comme il faut avoir vu Charlot dans « La Ruée vers l'or ».* Une femme enfin, Annie de Portcamp, résumait en langage de femme l'opinion générale : *Jean Gabin, qui vieillit très bien, trouve en ce rôle un départ pour une nouvelle carrière de « dur » adouci par l'âge, résigné mais toujours séduisant.*

Alléluia donc ! A la veille de ses cinquante ans, Jean Gabin obtenait enfin la permission de vieillir et la reconnaissance de ses qualités. Ce n'était pas trop tôt. Il y avait neuf ans que la guerre était finie mais qu'à lui on continuait à chercher noise. Mais faisait-il entièrement confiance à ce revirement ? Pendant le tournage, il avait assisté à un dîner de journalistes et s'était montré très aimable, très souriant et détendu. Mais il avait dit :

— S'ils viennent demain au studio pendant que je

travaille, qu'ils ne s'y trompent pas : je serai de nouveau à cran.

Il était trop sensible pour ne pas se méfier et n'était pas homme à se laisser griser par de bons extraits de presse. Il avait payé assez cher pour savoir que l'enthousiasme, ça retombe pour un rien comme un soufflé un poil trop peu cuit. Entre les lignes de ces articles chaleureux, on pouvait lire qu'il en devait une part au fait que ses exégètes avaient trouvé un nouveau mythe à accoler à son personnage : celui de l'amitié virile. Un Gabin pas bourgeois et auréolé d'un mythe, ça avait rassuré.

Ainsi, en lui rendant ses insignes, *Touchez pas au grisbi* lui frayait un passage vers les grands rôles de composition dignes de sa stature et de son talent. Mais il n'était pas sûr que ce passage ne serait semé que de roses, en quoi il n'avait pas tout à fait tort.

Lorsque Marcel Carné eut l'idée de faire un film sur les milieux de la boxe, qu'il aimait et connaissait fort bien, et qu'il se mit à courir les maisons de production avec ce qu'il croyait être un atout majeur — un rôle en or pour Gabin —, il se heurta à des refus polis. Certes, c'est le sujet qui déplaisait : des films sur la boxe, il y en avait eu beaucoup et les commanditaires pensaient, à tort ou à raison, que le public en était saturé. N'importe ; il y avait eu un temps où l'on engageait Carné et Gabin sans même savoir quel film ils feraient, un temps où Jean Renoir qui traînait sans succès le sujet de *La Grande Illusion* depuis deux ans le voyait subitement accepté lorsqu'il prononçait le nom de Gabin — et ce temps était révolu. Si le film se fit en fin de compte, c'est que Carné dénicha un homme de cinéma, Robert Dorfman, qui aimait la boxe autant que lui et qui convainquit Cino del Duca, déjà producteur de *Touchez pas au grisbi*, de financer l'entreprise.

Carné, en vérité, désirait réaliser *L'Air de Paris* — tel était le titre de son film — avec Gabin certes, mais aussi et surtout pour Roland Lesaffre, un jeune acteur à qui l'unissait une amitié sans limites.

Cette amitié était née à Joinville, sur le plateau de *La Marie du port*, d'amusante et turbulente façon. Ce jour-là — il nous faut remonter en septembre 1949 — un jeune

116

homme qui, visiblement, ne connaissait rien aux exigences d'un tournage avait fait irruption dans le studio en clamant qu'il venait voir son pote Gabin. C'est vrai, Gabin était son pote ; c'était même un copain de guerre puisqu'ils s'étaient connus à Alger lorsque la vedette jouait pour de bon le rôle d'instructeur de recrues. Carné avait sorti du plateau l'envahissant jeune homme mais, retrouvant peu après les deux anciens combattants au bar du studio, il avait pu vérifier la réalité de ses dires. Au bout d'un moment, Gabin avait dit :

— Il est fauché, le mec. T'aurais pas un peu de frime pour lui ?

Ainsi avait commencé, par quelques jours de figuration, la carrière d'acteur de Roland Lesaffre et son amitié avec Carné. Ce dernier lui avait fait jouer un rôle secondaire mais très remarqué dans *Thérèse Raquin*, et, maintenant, dans *L'Air de Paris*, il s'apprêtait à lui donner un grand rôle — le grand rôle — en en faisant un de ces garçons du peuple, boxeurs amateurs, qui, après de rudes journées de travail, consacrent tous leurs moments libres à s'entraîner dans l'espoir de devenir de brillants professionnels. Le choix de Lesaffre était justifié par le fait qu'il avait un passé de boxeur, ayant été champion de boxe de la marine au temps où il servait en mer.

Jean Gabin, quant à lui, serait le propriétaire d'une salle d'entraînement. Faisant fortuitement la connaissance du jeune homme, il le prenait en charge, s'attachait à lui et l'amenait à la victoire. Deux femmes, chacune à sa manière, manquaient de compromettre ce résultat. L'une, jouée par Arletty, était l'épouse de l'entraîneur qui trouvait envahissants l'intérêt et l'amitié portés par son mari à son « poulain » ; l'autre — Marie Daems — une jeune antiquaire nantie d'un riche amant dont le boxeur s'éprenait au risque de négliger sa carrière prometteuse. Ainsi Carné illustrait-il son titre et présentait-il deux aspects de Paris, celui des petites gens à l'existence pauvre, terne et laborieuse, et celui, frivole et frelaté, des riches.

Sur ce sujet, il réalisa un film très attachant. Sélectionné pour la Biennale de Venise, il ne fut pas primé — mais Gabin reçut la coupe Volpi, c'est-à-dire le prix d'interprétation, bien qu'il fût en compétition avec le jeune et remarquable Marlon Brando de *Sur les quais*.

A sa présentation à Paris, de longues files d'attente s'alignaient devant les cinémas où était donné *L'Air de Paris*. La critique, dans l'ensemble, cautionna le goût du public. Elle reprocha à l'auteur le côté sommaire et artificiel de sa description des milieux huppés, mais aima le reste. Le meilleur porte-parole de cette opinion fut Jean Dutourd, qui tenait alors la rubrique cinématographique à *Carrefour*. A part l'histoire d'amour du boxeur et de l'antiquaire qui lui parut niaise, il trouva le film admirable et ne lésina pas sur l'enthousiasme. Ce qu'il écrivit sur Gabin doit être cité dans son entier — c'est en quelque sorte la « citation » correspondant au prix de Venise : *C'est un extraordinaire acteur. Mais est-ce encore un acteur ? Il « est » son personnage comme Raimu savait être Marius ou le puisatier. Il emporte la conviction du spectateur. Il a cet instinct infaillible des grands animaux de théâtre qui lui fait trouver en toute circonstance le ton juste, le geste exact, l'expression frappante, mais qui l'empêche aussi de dépasser le but, qui lui donne ce rien d'inachevé, de gauche, qui est le comble de l'art. J'aimais beaucoup Jean Gabin jusqu'à « L'Air de Paris ». Maintenant, je l'admire tout à fait : il me semble que c'est ici qu'il a donné la preuve définitive de son génie d'acteur. Il est capable de jouer n'importe quoi, y compris le cardinal de Richelieu, si c'est nécessaire.*

Ces phrases-là, c'était un bulletin de victoire, un éloge sans restriction, sans références au passé, à un quelconque mythe, ou à des alibis sociaux — une simple et précieuse reconnaissance du talent, d'un très grand talent. Et il est permis de penser que si Jean Gabin, dans le secret de son cœur, attachait du prix aux louanges, c'est à cette sorte de louanges-là.

La suggestion en forme de boutade de Dutourd — de faire faire à Gabin le cardinal de Richelieu — ne fut naturellement pas retenue ; pourtant, c'est un rôle en costume qui fut son suivant. Sacha Guitry lui demanda d'être le maréchal Lannes dans un *Napoléon* qui était un brillant monologue de l'auteur, jouant Talleyrand, monologue illustré de scènes jouées par toutes les vedettes en vogue cette année-là, de Jean-Pierre Aumont à Orson Welles.

Gabin garda de cette affaire un souvenir amusé. Guitry en effet lui fit faire un uniforme impeccable des pieds à la tête chez un très grand costumier. Les bottes qui faisaient partie de la tenue furent particulièrement soignées pour être historiquement vraies et donner à celui qui les porterait un confort absolu. Six essayages chez le bottier Galvin, un mois de travail... Enfin, les bottes furent prêtes, le costume aussi, et Gabin se présenta au maître, tout pénétré de respect pour le prix que son apparence coûtait à la production.

Sacha lui expliqua la scène. Elle était courte et poignante. Elle montrait le maréchal Lannes, amputé des deux jambes à la bataille d'Essling, agonisant et mourant dans les bras de l'Empereur. Gabin la joua avec une émotion contenue et fut remarquable. Mais, par la suite, il ne cessa jamais de s'étonner qu'on lui eût fait faire des bottes sur mesure pour jouer un pauvre bougre dont un boulet vient de fracasser les jambes.

A propos de ce Napoléon, le bruit courut qu'il avait fallu beaucoup d'insistance de la part de Guitry pour faire admettre Gabin dans la distribution. Comme cette distribution comptait une centaine de personnages, il est peu vraisemblable que, comme certains l'insinuaient, le producteur n'en voulait pas, le trouvant fini et peu rentable. Ce qui l'est davantage, c'est que l'acteur demanda un prix un peu... prohibitif, qu'il n'obtint que parce que Sacha le voulait absolument !

Oh ! non, il n'était pas fini, M. Gabin. Il remontait drôlement la pente, et si lui-même ne se pensait pas encore revenu au sommet, beaucoup l'enviaient : quatre films en 1954 ! Le premier avec Carné, cet *Air de Paris* qui lui avait valu la coupe Volpi, et le quatrième... le quatrième avec Jean Renoir — comme si on s'était retrouvé une bonne quinzaine d'années avant.

Il avait soixante ans, maintenant, Jean Renoir, et, depuis qu'il s'était exilé en 1939, c'est la première fois qu'il revenait faire un film en France — et c'est avec Gabin qu'il le ferait. Il en était très ému. Il avait fait venir d'Angleterre une caméra Technicolor sur laquelle veillaient jalousement deux techniciens spécialisés. Grâce à elle — et grâce à lui — on allait enfin voir de quel bleu étaient les yeux de Jean Gabin. C'était en effet son premier film en couleurs : *French Cancan*.

CHAPITRE XI

En 1889, MM. Oller et Zidler, génies dans leur spécialité qui était d'amuser leurs contemporains, firent construire à la lisière de Montmartre le bal du Moulin-Rouge dont l'attraction principale était le « quadrille naturaliste ». Cette danse joyeuse et débridée qui était née dans les petits bals de la Butte, et exécutée à l'origine par les blanchisseuses de ce quartier, devint le french cancan ; et c'est cette histoire, la naissance du french cancan, que Jean Renoir avait décidé de raconter. Le héros en était Danglard, inspiré de Zidler, et les péripéties, les aventures professionnelles et amoureuses de ce fou de spectacle. Le film se terminait par vingt minutes de danse photographiée de façon saisissante et éblouissante, qui emportèrent l'admiration générale. Pour le reste, les opinions furent partagées, la critique se posa la question de savoir si Renoir était toujours Renoir, reconnut que dans l'emploi de la couleur il était bien le fils de son père, et émit des considérations distinguées sur les aspects sociaux de son intrigue.

Mais il est évident que, comme d'habitude, Renoir avait voulu avant tout raconter une histoire et, ainsi qu'il s'en était expliqué peu de temps auparavant, utiliser le réalisme extérieur pour essayer d'exprimer le réalisme intérieur, c'est-à-dire les ressorts intimes de ses personnages. Mais, ayant fait un spectacle à la gloire du spectacle, dont les exigences balaient tout sur leur passage, y compris les sentiments, il arriva qu'il ne parvint pas tout à fait à dépeindre ces ressorts intimes — et cela lui fut reproché.

Jean Gabin, cependant, fut magnifique — *ému, exquis, rajeuni,* écrit André Lang dans *France-Soir* — et trouva dans le rôle de Danglard un nouveau tremplin pour son évolution, ce qu'exprima à sa manière Jacqueline Fabre dans *Libération : Quelle joie de retrouver Gabin sans mitraillette !* Après *L'Air de Paris,* mais enfin débarrassé de toute définition sociale — car un homme de spectacle échappe à ce genre de définition — il apparaissait exactement ce qu'il était : un merveilleux comédien. J.-M. Arlaud, dans *Combat,* le reconnut avec sincérité : *Je n'ai jamais éprouvé de sympathie particulière pour Jean Gabin, mais voici plusieurs films qu'il oblige à se demander : « Ne serait-il pas un des plus solides ? » Il a pris un poids assez extraordinaire. Ici son personnage, qui n'est que fort peu écrit (on ne sait guère ce qui se passe à l'intérieur), est admirablement construit. Dans les dernières scènes... eh bien, on pense tout simplement et presque sur un pied d'égalité à Spencer Tracy... bigre — et c'est vrai.*

De Gabin, Jean Renoir disait qu'il avait une force cinématographique, et que cela devait provenir d'une profonde honnêteté — c'est probablement l'appréciation la plus simple et la plus juste portée sur lui. Il disait, évoquant le temps de *La Grande Illusion : Gabin qui ne parlait pas et comprenait tout. Nous ne nous disions presque rien, je lui indiquais, il exprimait.* Ça aussi, c'est une bonne description.

Du jour où il avait accepté le métier d'acteur, du jour où il avait compris que ce métier pouvait le nourrir mieux qu'un autre et lui apporter des satisfactions, il l'avait exercé en le respectant et en lui apportant le meilleur de lui-même. Commençant par accomplir un consciencieux travail d'artisan, il avait découvert et appris tout seul les secrets de son art. Sa mémoire s'était révélée excellente et d'une rapidité déroutante, pas seulement celle des textes, mais celle des gestes, des attitudes, des expressions — grâce à quoi il composait des personnages justes — et c'est alors que ses spectateurs admiraient son « instinct », sans savoir que cet instinct était le fruit des notations enregistrées par son regard bleu et attentif. Il était infaillible dans l'art de s'habiller, en voyou, en bourgeois ou en prolétaire, sachant non seulement quels gestes faisaient ses personnages et comment ils parlaient, mais également où ils achetaient leurs vêtements. Avec l'expérience, il avait même acquis une sérieuse connaissance de la technique — un héritage de Marlène ? — qui avait épaté Carné pendant le tournage de *L'Air de Paris*. Si l'on ajoute qu'il se connaissait bien lui-même, et ses limites et ses possibilités, peut-être comprendra-t-on qu'il n'était pas vraiment satisfait. Peut-être... car il tournait film après film et n'avait guère plus à craindre de ne plus être « en demande ». Eh bien, non ! il n'était pas entièrement rassuré. Non seulement il arrondissait sa poire pour la soif — sa ferme normande — mais, dans son métier, il visait à ne s'entourer que de gens avec qui il était en confiance.

C'était une manière de se protéger, d'assurer à son travail une certaine quiétude. Car l'homme intérieur était beaucoup plus fragile que son apparence ne le laissait supposer : il était timide, sensible, pudique, sujet au trac et aux affres artistiques. Peut-être est-ce ces particularités qui lui avaient donné son jeu contenu, si conforme aux exigences du cinéma moderne, mais elles ne faisaient pas de sa profession une activité relaxe et facile.

Il avait énormément besoin d'amitié, d'une ambiance d'affectueuse détente pour pouvoir travailler avec ce maximum d'honnêteté que louait Jean Renoir. Dans sa vie privée, il avait trouvé son climat en épousant Dominique, en devenant un mari et un père responsable. Dans sa vie professionnelle, il devint de plus en plus attentif à son entourage, à ceux qui écrivaient ses films, les dialoguaient, les tournaient et les jouaient à ses côtés. Un jour, on parlerait de la bande à Gabin ; si bande il y eut, elle commença à se former dans ces temps-là, alors qu'il redevenait, doucement, mais sûrement, l'enfant chéri du succès.

L'un de ses membres les plus importants, le plus important sans doute, par l'amitié et le nombre de films qu'ils firent ensemble, fut Gilles Grangier.

122

C'était alors un homme dans la quarantaine, qui était entré dans la profession par le plus bas degré de l'échelle, en devenant figurant. Il avait été, cela va de soi, un enfant dingue de music-hall et de cinéma. Vers ses dix ans, il connaissait tout le répertoire de Maurice Chevalier, qu'il imitait et admirait éperdument ; premier trait de ressemblance avec Jean Gabin, un autre étant qu'ils étaient nés tous deux en mai, sous le signe du Taureau. Avant d'entrer dans le cinéma, il avait exercé divers métiers peu fructueux et fait son service militaire dans la cavalerie, ce qui lui permit, lorsqu'il devint figurant, de passer rapidement cascadeur. Deuxième échelon. Il les avait tous gravis — petit acteur, régisseur, dernier assistant, premier assistant —, apprenant le métier sur le tas en le pratiquant, et en engrangeant ses composantes de toute son intelligence, jusqu'à devenir, en 1943, le réalisateur de *Adémaï, bandit d'honneur*, avec Noël-Noël. Une bonne cinquantaine de films suivraient ce premier.

Jean Gabin, il le connaissait depuis toujours, c'est-à-dire que, vers 1936, alors qu'il était régisseur, son chemin s'était mis à croiser au hasard des tournages, en France ou à Neubabelsberg, celui de la vedette, qu'il saluait respectueusement :

— Bonjour, monsieur Gabin.

— Bonjour, Grangier, répondit la vedette.

Puis, au fil des années :

— Bonjour, gars. Comment va ?

Un jour, ils s'étaient mis à se tutoyer et à échanger des considérations sur les chevaux, la boxe ou le cyclisme. En 1953, la maison Sirius ayant engagé Gabin proposa Gilles Grangier comme metteur en scène à l'acteur, et celui-ci accepta.

Le film était *La Vierge du Rhin*. Ils en avaient tourné les extérieurs du côté de Strasbourg, s'étaient découvert en vivant l'un près de l'autre de nouveaux traits communs — mêmes goûts, mêmes antipathies —, et ainsi avait commencé une histoire d'amitié aussi fertile en rebondissements qu'une histoire d'amour.

Pour leur film suivant, *Gas-Oil*, Grangier présenta à son ami et interprète un jeune dialoguiste de ses connaissances, Michel Audiard, que Gabin adopta rapidement et surnomma le Petit Cycliste parce qu'il avait ambitionné autrefois de faire carrière dans le vélo. N'étant pas devenu champion, il s'était servi de sa bicyclette pour livrer des journaux, avant d'écrire dedans, notamment de la critique cinématographique, un chemin comme un autre pour devenir scénariste. Lui aussi était un Taureau de mai ; il était né le même jour que Gabin, quatorze ans après lui. *Gas-Oil* fit des trois hommes une fine équipe qui avait un bel avenir devant elle — et fut un film remarqué.

Mais avant de le tourner, Jean Gabin en avait fait un autre, de Jean Delannoy : *Chiens perdus sans collier.* Avec Jean Delannoy, ses relations étaient différentes de celles qu'il entretenait avec Gilles Grangier. Ils se fréquentaient peu en dehors des tournages, mais dans le travail ils s'aimaient bien. Pour le metteur en scène, le trait principal de Gabin était la pudeur. Il l'admirait d'avoir gardé son âme d'enfant, avec le don d'ingénuité de l'enfance et sa vulnérabilité, et c'est pour cette raison qu'il avait de l'affection pour lui, même s'il se montrait parfois bougon et têtu — comme un enfant. Il appréciait sa retenue, son bon goût, son intelligence finaude, son côté futé et marrant. Le considérant en tant qu'acteur, il tournait délibérément le dos au soi-disant mythe Gabin, il ne pensait pas qu'il existât un mythe Gabin ; il aimait l'imaginer dans des emplois nouveaux, comme le médecin de *La Minute de vérité.* Dans *Chiens perdus sans collier,* inspiré d'un roman célèbre de Gilbert Cesbron, il en fit un juge pour enfants humain et émouvant qui accrocha le public et la majorité des critiques. Le film fut choisi pour Venise, ne fut pas primé mais fit de fort belles recettes. Malgré quoi, ou à cause de quoi, il fut traîné dans la boue par le jeune François Truffaut. C'était l'époque où se formait au large la nouvelle vague. Dans *Arts,* dans *Les Cahiers du cinéma,* des jeunes loups s'aiguisaient les dents en pratiquant un journalisme féroce et destructeur qui réclamait un nouveau cinéma libéré du commercialisme, de la tyrannie du vedettariat et des sujets rebattus. Quelques années plus tard, ils entreraient à leur tour dans l'arène, avec plus ou moins de bonheur, quelques-uns apportant du sang neuf à l'art cinématographique, comme cela arrive périodiquement à tous les arts — pour leur nécessaire progrès.

La nouvelle vague donc, en attendant de déferler peu d'années plus tard, s'attaquait aux forteresses établies et les criblait de coups. Jean Delannoy et les adaptateurs de *Chiens perdus sans collier*, Bost et Aurenche, étaient dans le collimateur personnel de Truffaut, qui ne lui ménagea pas les injures et, d'un même élan, égratigna Gabin : *Il se produit pour Gabin ce qui se passe pour Pierre Fresnay depuis dix ans ; il se met à jouer faux et l'on découvre justement maintenant qu'il a du génie.*

Quoi qu'il en soit, cette vague passa et si elle mouilla Gabin, cela ne se vit guère. Elle ne se commit pas avec lui, il ne se commit pas avec elle. Ils étaient aux antipodes l'un de l'autre, d'une certaine manière, et il y avait assez de place sur les écrans pour diverses formes de cinéma. Jean Delannoy et les autres têtes de Turcs des jeunes loups continuèrent à faire des films, et Jean Gabin aussi. Mais il est certain que se renforça encore en lui le besoin d'assurer ses arrières en s'entourant de gens fiables pour lui.

Il fit donc *Gas-Oil* avec son ami Grangier et l'ami de son ami, Michel Audiard. C'était une histoire mi-peinture de mœurs mi-aventure policière qui se déroulait dans le milieu des routiers et se terminait par un morceau de bravoure remarquable : la lutte entre la voiture rapide des gangsters et les lents et massifs mastodontes des routiers sympas.

La meilleure trouvaille de Grangier, c'est Jean Gabin, écrivit alors André Bazin dans *Le Parisien. Le film est moulé sur lui, sa démarche, sa lenteur assurée, l'espèce de puissance réservée qui est aussi celle des poids lourds.* De quoi resserrer encore des liens déjà bien noués. Dans la quarantaine de films qu'allait tourner Gabin après *Gas-Oil*, on retrouverait dans la moitié les noms de Grangier ou d'Audiard au générique, et souvent les deux. Car, en tant que dialoguiste, Michel Audiard avait pigé le « langage Gabin », comme Grangier avait cerné sa stature. Avant la guerre, Jacques Prévert avait écrit pour l'acteur des répliques poético-réalistes qui sonnaient bien dans sa bouche car il était lui-même inventeur de mots et d'expressions imagées. D'une manière un peu différente, Audiard sut mettre par écrit le « Gabin », mélange de mots courants, d'argot, de trouvailles verbales. C'était tout le contraire d'un langage vulgaire, un langage choisi au contraire, où les mots étaient pris pour leur valeur expressive — non pour leur académisme conventionnel ou leur argot volontairement anticonformiste. Audiard perçut cela et Gabin perçut qu'il avait en lui un des meilleurs « porte-parole » qu'il pût trouver — d'où vient qu'il le réclama très souvent comme dialoguiste et qu'ils devinrent amis.

Hors du travail aussi, il avait besoin d'amis — comme tout le monde et un peu plus que tout le monde parce que le métier de comédien pratiqué avec une intensité concentrée dépersonnalise l'homme — ou la femme — et le rend solitaire. Pour émerger de cette solitude, reprendre pied sur ses propres terres, les amis sont incomparables. Souvent rogue sur le plateau — pour ne pas avoir à serrer des mains intempestivement ou à entretenir des conversations malvenues — Jean Gabin se révélait, le travail du jour achevé, un compagnon gai et marrant. Le gourmand qu'il était, mais qui s'était astreint à ne pas déjeuner parce que le ventre creux lui donnait l'esprit plus libre, se rattrapait le soir après le turbin, et le plus souvent possible avec des amis. Il continuait d'aimer les nourritures solides. Il pouvait dévorer un plateau de fruits de mer et une belle assiette de cochonnailles avant de se faire servir les trois plats du jour du menu. Il disait : « La croûte, c'est la vie », mais il n'avait rien d'un gourmand solitaire. Et, pour faire descendre toute cette nourriture autant que pour égayer l'amicale atmosphère, il levait volontiers le coude. Du temps qu'il habitait rue François-Ier, il festoyait souvent avec ses copains à la Taverne alsacienne — aujourd'hui disparue mais qui était proche du rond-point des Champs-Elysées — et, la bière et l'entourage aidant, qui lui renvoyait allégrement la balle, se montrait disert et drôle.

Alors, il lui arrivait d'évoquer ses débuts, son enfance, son court mais triste séjour à Jeanson-de-Sailly par exemple. Il avait été très malheureux dans ce pensionnat sévère où, habillé de ses vêtements campagnards pas trop bien taillés dans ceux de son père, entouré de jeunes snobinards ou de bûcheurs enragés, il se ressentait comme un petit Martien. Il s'en était sauvé plusieurs fois, avant de le quitter pour de bon, ce maudit lycée.

Maintenant, ces déboires donnaient matière à des récits marrants, comme aussi les métiers improbables qu'il avait exercés avant d'entrer dans le spectacle, et comme ses débuts d'artiste : le temps des « becs de gaz » aux Folies-Bergère ; sa tournée avec Gaby en Amérique du Sud, dans des conditions de confort minable et de travail forcé — un répertoire de douze opérettes, dont ils jouaient parfois deux différentes le même jour ! Ou encore, ses numéros avec la Miss, au Moulin-Rouge : dans le sketch de la Dame au chien, il faisait *L'homme du milieu qui tient un bouledogue.* A se tordre, non ? Les débuts du mythe Gabin, en somme !

Dominique adorait ces soirées, même si ces messieurs buvaient un peu trop et haussaient un tantinet le ton. Le Gabin le plus détendu et le plus amusant se montrait dans ces circonstances. S'il y avait des femmes à table — ça, c'est Audiard qui l'assure — il était différent, moins nature, plus séducteur. Il aimait plaire aux femmes, même s'il était devenu depuis son mariage un mari des plus fidèles. Il n'avait plus d'aventures avec ses partenaires comme autrefois mais, avec un désintéressement total, il demeurait un charmeur qui contrôle le pouvoir de son beau regard.

En 1955, l'année des *Chiens perdus* et de *Gas-Oil*, il avait eu un fils, Mathias, qui lui ressemblait et avait comme lui — pour employer son expression — un nez en deux épisodes. Un fils, une famille, c'était bien autre chose que des amourettes ! Ça comblait de grands vides dans la vie, ça donnait du vrai bonheur. De ses liaisons passées, il avait gardé quelques amitiés — de ces bonnes amitiés qui succèdent à l'amour lorsque celui-ci ne s'est pas soldé par une catastrophe. Ainsi, Michèle Morgan, qui était devenu une amie de la famille, et Gaby Basset, la première épouse, qui avait un rôle très remarqué dans le fameux *Touchez pas au grisbi.* Il avait aussi gardé des relations amicales avec Ginger Rogers, mais de Marlène Dietrich, il ne voulait pas entendre parler. Elle avait multiplié les approches pourtant, même après que Jean eut épousé Dominique, et fait tenir divers messages par des relations communes. A ces messages, il opposait tenacement des fins de non-recevoir

— Vous direz à Marlène que j'ai gardé un très bon souvenir d'elle, mais, maintenant, j'ai tiré un trait sur tout mon passé. Je suis marié. J'ai mes gosses. Je suis heureux comme ça. Elle comprendra.

Mais peut-être ne comprenait-elle pas, Marlène. Tout

se passait comme si la rupture avait créé en elle une fixation sur l'homme qui avait osé lui préférer une femme plus jeune et les charmes du foyer. La liberté qui lui était si chère, sa discrétion et son esprit d'indépendance ne jouaient plus quand il s'agissait de Gabin. Elle avouait sans équivoque son amour persistant pour lui, à la limite, elle s'en parait.

Lui, non sans cruauté — il avait sûrement ses raisons, mais lesquelles au juste ? —, l'avait complètement rayée de sa vie. Il parlait rarement d'elle, et, quand il en parlait, avec son goût des surnoms, il l'appelait la Prussienne ou la Schleuh — plus la Grande.

Il n'y avait plus qu'une Grande, c'était Dominique, qu'il appelait aussi la Gisquette, ou Maman. Les histoires d'amour, c'était le passé, et, même au cinéma, il les aimait de moins en moins. Sur le plan professionnel, il n'était pas fâché de vieillir. L'âge offrait à un acteur un éventail de rôles plus variés, et dans de meilleures intrigues, une fois qu'il n'était plus tenu de rejouer les éternels romans d'amour. Quand il en aurait fini avec ces sujets-là, il ne serait plus obligé de surveiller son régime et de se teindre les cheveux à chaque matin de tournage.

Mais comme il était encore diantrement séduisant, le bougre, ses metteurs en scène habituels, auxquels vint s'adjoindre après *Gas-Oil* Henri Verneuil, qui lui donna dans leur premier film un autre rôle de routier, ne l'entendaient pas de cette oreille. Certes, Jean Delannoy lui fit faire un Maigret — *Maigret tend un piège* — où il créa une silhouette de commissaire quinquagénaire de la vieille école qui dérouta un tantinet la critique. Pour habiller son personnage, Gabin avait fait ses achats à la Belle Jardinière, premier pas pour se mettre dans sa peau. De même, dans *Le Cas du docteur Laurent*, sut-il vêtir avec une authentique négligence son médecin peu soucieux de son apparence. Avec son metteur en scène, Jean-Paul Le Chanois, il se rendit à la Polyclinique des Métaux où le Dr Lamaze enseignait et pratiquait l'accouchement sans douleur, thème central de l'intrigue du film. Il regarda le médecin délivrer une femme en appliquant sa méthode, mais refusa d'assister à un autre accouchement.

Le résultat émerveilla Le Chanois, car Gabin fut un

praticien d'une vérité confondante. Répondant plus tard à une interview, il fit l'éloge de *cet homme d'apparence populaire et — il ne m'en voudra pas de le dire, je crois même qu'il y tient — de culture moyenne et de bagage intellectuel modeste, capable de se transformer soudainement en autant de personnages de fiction, avec une étonnante facilité d'assimilation, sans qu'on y sente jamais l'effort, la composition, la technique de tant d'autres grands acteurs.*

Dans *La Traversée de Paris* non plus, il n'y avait pas d'histoire d'amour, seulement celle d'un porc abattu clandestinement près de la gare d'Austerlitz et qu'il faut porter, dépecé et réparti dans quatre valises, jusqu'à la rue Lepic, cela sous l'occupation allemande. Le chef de l'expédition est Martin, un chauffeur de taxi réduit au chômage par les événements. Son assistant habituel étant indisponible, il recrute — un peu au hasard — un certain Grandgil dont il ignore qu'il est un peintre célèbre et riche qui ne s'engage dans cette aventure que pour voir « jusqu'où on peut aller en temps d'occupation ». Il l'apprendra au cours de cette traversée qui dure de sept heures du soir à deux heures du matin, et il découvrira en son compagnon, sans bien le comprendre d'ailleurs, un homme agressif et cynique, dressé contre la bêtise, la bassesse et la lâcheté.

Bourvil était Martin et Gabin Grandgil. Si jamais critique fut déroutée par un film, c'est bien par celui-là. Cependant que Truffaut portait aux nues l'adaptation d'Aurenche et Bost — eh oui ! — une bonne partie des autres s'étonnaient du choix de Gabin. Pour André Bazin, c'était une erreur ; pour Claude Mauriac une duperie, un mensonge, ce mensonge étant d'avoir choisi le visage sympathique et humain de Gabin pour faire passer ce qu'avait d'odieux son personnage. Et si le critique de *L'Humanité* décela dans le film l'expression de l'amertume fondamentale de Claude Autant-Lara et de sa colère contre l'univers social, personne ne sembla se poser de questions sur ce que Gabin et Grandgil pouvaient avoir en commun. On parla de contre-emploi, on dit que l'autorité bonhomme de l'acteur était à l'opposé de l'ironie anarchisante de son rôle ; on dit toutes sortes de choses sans s'apercevoir que la colère de Grandgil correspondait, en plus corrosif, en beaucoup plus acerbe, à un des aspects importants de la personnalité de Jean Moncorgé, dit Jean Gabin : sa détestation des sots et des faux-jetons. Beaucoup d'années plus tard, dans une interview, il se décrirait comme un « anar-bourgeois », qui n'a jamais oublié qu'il a été prolo et qui est resté un solitaire, un libertaire à la mode d'autrefois — et ses amis sont là pour témoigner de la vérité de cette déclaration.

Aussi n'eut-il pas à se forcer pour jouer Grandgil. C'est un tournage qu'il aima beaucoup — d'autant qu'il s'entendit admirablement avec Bourvil — et un de ses films préférés. Mais il est remarquable de constater que ce qu'il ne se refusait pas — le côté odieux de son personnage — le public et même les critiques le refusaient pour lui. Ainsi se faisaient jour, *a contrario*, la popularité, l'exemplarité de sa figure. Il était en passe de devenir la vedette la plus chère aux Français. Et ce serait chose faite deux ans plus tard, avec *Les Grandes Familles*.

Mais avant, il avait encore quelques films à tourner : le *Maigret* déjà cité, *Le Cas du docteur Laurent* et un autre Le Chanois, *Les Misérables*, deux séries noires réalisées par Gilles Grangier et enfin un nouvel Autant-Lara, *En cas de malheur*, d'après un roman de Georges Simenon.

Encore un sujet assez déplaisant, mais, cette fois, il l'était autant, sinon plus pour Gabin que pour le public. C'était une histoire d'amour, et quel amour ! Celui d'un homme vieillissant pour une jeunesse, et quelle jeunesse ! Brigitte Bardot, cette jeune femme dont la gloire était née deux ans auparavant dans *Et Dieu créa la femme*, femme-enfant, femme-objet, femme-femme, perverse ingénue, fraîche beauté aux appas généreux...

Commercialement, c'était une idée géniale de mettre sur le même écran deux monstres sacrés de génération et de sexe différents. Artistiquement c'était, comme l'écrivit un critique, Georges Charensol, *une idée admirable de choisir pour partenaires de l'aventure le meilleur, le plus solide des interprètes masculins, Jean Gabin, et la plus maladroite, la plus fragile des interprètes féminines.*

Ainsi, avant même que le film fût tourné, la sensation était déjà créée.

CHAPITRE XII

Dès avant le tournage de *En cas de malheur*, on put lire dans la presse quelques piquantes vacheries, comme il se doit. On prétendit que Brigitte avait dit de son partenaire :

— Gabin ? Ah oui, cet acteur du temps du muet !...

Cependant que Gabin, de son côté, aurait demandé ingénument :

— Qui est-ce, cette Brigitte Bardot ?

Et pourquoi pas ? Ils avaient tous deux le sens de l'humour et, au demeurant, trente ans d'écart d'âge — un sacré fossé de générations —, des origines sociales très opposées et une vision de leur profession assez différente.

Au dire de Vadim, qui fut son mari trois ans après avoir été trois ans son fiancé, Brigitte ne prit jamais au sérieux son métier de comédienne. Jeune fille de famille bourgeoise suivant des cours de danse classique, elle s'y adonnait avec passion et constance. Elle y avait renoncé, par amour, lorsqu'elle s'était rendu compte qu'être danseuse était peu compatible avec la vie de famille, mais ce n'avait pas été de gaieté de cœur, et pas de gaieté de cœur qu'elle s'était engagée dans le métier d'actrice. Pour elle, écrit Vadim, *la danse, c'était sa vie, le cinéma, un jeu qui a réussi.*

Réussi certes, et au-delà de toute espérance. Elle avait commencé sa carrière publique en étant dans le magazine *Elle* la jeune fille française type, ce qui était déjà significatif, mais elle possédait en outre l'aura et le magnétisme de la star. Perdue dans une foule, on ne voyait qu'elle. Sa démarche de danseuse, à la fois souple et précise, son port de reine acquis par des heures d'exercice à la barre, en faisaient un point de mire, même au milieu de vingt jeunes femmes séduisantes. Elle ne se trouvait pas jolie mais, constatant avec un certain étonnement son pouvoir de subjuguer les hommes, elle l'exerçait volontiers. Elle était entrée dans la gloire cinématographique comme symbole sexuel.

Ce qu'elle possédait en commun avec Gabin, c'était le don d'enfance, le naturel ingénu du comportement. *L'enfant*, dit Vadim. *Le génie et la naïveté de l'enfant... Son besoin forcené de présence, d'amour, de disponibilité... Un mélange d'insolence et de gentillesse. Beaucoup de bon sens dans son humour. Ni distante dans son attitude ni trop familière.* Et en vérité, elle était très jeune : vingt et un ans lorsque lui était tombée dessus la renommée mondiale grâce à *Et Dieu créa la femme*, vingt-quatre au moment de *En cas de malheur*.

Pendant un mois, Claude Autant-Lara avait tourné les scènes dont était absente la jeune star, celle-ci achevant un film de son ex-mari Vadim, *Les Bijoutiers du clair de lune*. Homme imbu de lui-même — à propos de *La Traversée de Paris*, il avait déclaré que Gabin s'y était montré envahissant et Bourvil inexistant, s'attribuant tous les mérites du film — il allait répétant qu'il ferait de Bardot une « vraie comédienne ». De fait, elle incarna avec vérité un personnage qui lui était proche par ses caractéristiques enfantines : la candeur, l'inconscience, la faculté de mentir en toute sincérité.

Avec Gabin, l'affrontement n'eut pas lieu. Le premier jour qu'ils tournèrent ensemble, il paraît que l'acteur examina froidement sa partenaire, le visage impassible. A la fin, il dit :

— Mademoiselle, j'aime les femmes grandes. Vous êtes grande, donc je vous aime.

Puis il cligna de son œil bleu et irrésistible en signe

132

d'encouragement et, sur le plateau, tout le monde se sentit mieux. Aussi bien n'y avait-il pas eu vraiment grand-chose à craindre, Gabin n'était pas homme à snober *a priori* une jeune femme charmante. Il aimait plaire et, professionnellement, essayait toujours de faciliter la tâche de ses partenaires, spécialement les jeunes. C'est ainsi qu'il voyait les choses. Il ne tirait pas la couverture à lui afin de s'imposer au détriment d'une distribution médiocre ou maltraitée — il y a des comédiens pour croire que cette attitude est payante — mais il s'efforçait au contraire de valoriser ceux qui l'entouraient, estimant à juste titre qu'il n'avait rien à gagner à paraître dans un film où ses cointerprètes seraient ou paraîtraient nuls. A part Marcel Carné qui prétend qu'il n'aida en rien Roland Lesaffre dans *L'Air de Paris*, ses metteurs en scène et ses partenaires s'accordent à lui reconnaître cette qualité et combien cela améliorait leur travail. Michèle Morgan, comme Jean-Claude Brialy et d'autres, affirment volontiers que son exemple et une certaine façon qu'avait Gabin de jouer vers eux et avec eux les obligeaient à être bons.

Avec Brigitte Bardot, ce genre d'aide tomba à plat : elle se plaignit de sa présence sur le plateau alors qu'elle tournait des contre-champs, c'est-à-dire des bouts de scène où on ne voyait qu'elle, mais elle en conversation avec son partenaire hors du champ de prise de vue. Personne n'exigeait de Gabin qu'il fût là. Mais c'était chez lui une habitude courtoise et une bonne méthode pour donner au jeu et au dialogue un maximum de vérité ; il se tenait donc en retrait de la caméra et donnait ses répliques dans le tempo. Or, ce que tout le monde louait comme un fait rare et efficace, Bardot le tint pour inutile et gênant. Peut-être était-ce une forme de timidité. Possible, et même certain, mais l'acteur n'en revint pas de cette attitude, de même qu'il fut effaré d'entendre la jeune femme fredonner dans sa loge à quelques minutes d'une scène dramatique et difficile. Cette petite n'était pas très concentrée !

Cela ne l'empêcha pas d'entretenir avec elle des liens très amicaux : elle était gentille, drôle, toujours prête à rire et à s'amuser de son langage à lui, lorsqu'il disait par exemple, pour signifier qu'il était l'heure de regagner ses pénates :

— Je rentre. Chez moi, les harengs sont déjà sur le feu.

Et s'il y eut affrontement sur le plateau de *En cas de malheur*, ce fut entre l'acteur et Claude Autant-Lara, avec qui il demeura en froid après le tournage.

Ce qui gêna le plus Gabin dans ce film, ce fut le sujet, cette histoire d'un avocat brillant dont s'empare le démon de la chair, et qui, à cause de cette passion, recourt à un faux témoignage, met en péril sa carrière, sa fortune et sa vie conjugale. Il n'avait plus envie de jouer les amoureux, les « gigues » comme il disait, et, pour une fois, son jeu s'en ressentit, parut manquer de naturel — encore qu'il fît de son Mᵉ Gobillot dépassé par la passion qui le tenaille un homme moins avili que désabusé, gardant sa lucidité et jouant la carte du bonheur avec un certain courage.

Le film choqua par son immoralité, par sa description d'une jeune femme tranquillement impudique et scandaleuse, et par des péripéties qui frôlaient — d'une manière qui apparaît maintenant discrète — la pornographie. Il fut sifflé dans certaines salles, applaudi dans d'autres, mais connut un grand succès de public. La critique fut ambiguë. Si France Roche dépeignit le film comme une *Rolls-Royce, mécanique de haute précision, travail de luxe qui, conduite d'une main sûre, promet la sécurité, même dans les virages dangereux,* Jean Dutourd dénonça l'incertitude des auteurs (Aurenche et Bost) quant au personnage de Gobillot, et Georges Charensol ne vit en Gabin que le faire-valoir de Bardot, *personnage dont le pouvoir agit sur le spectateur à la façon d'un hypnotique.*

Discuté, plus ou moins réussi, plus ou moins accepté, *En cas de malheur* fut de toute façon le dernier film où Jean Gabin vivait dramatiquement les tourments de l'amour. Jacques Siclier, fervent défenseur de la notion du « mythe Gabin », analyse brillamment le fait en évoquant la naissance de cet autre mythe, Bardot, qui dévore tout autour de lui. Symbole de l'émancipation sexuelle de la femme moderne, *elle provoque le scandale, elle choque, mais elle ne s'en impose pas moins comme celle qui rend désormais impossible tous rapports amoureux du personnage Gabin avec les filles de la nouvelle génération.*

Peut-être est-ce là une interprétation *a posteriori*, théorique et stylisée, de la carrière de notre homme, le fait est que, conscient ou pas d'une impossibilité de ce genre, il en avait « ras le bol » (il inventa l'expression mais peut-être pas à cette occasion) des histoires d'amour, il l'avait déjà exprimé plusieurs fois ; et avant que fût finie l'année 1958 qui avait commencé avec *En cas de malheur*, il allait donner deux preuves de la façon dont il entendait mener son métier désormais.

Les Grandes Familles, ç'avait été d'abord un roman de Maurice Druon, primé par les Goncourt et plébiscité par de nombreux lecteurs. Dans le film qu'en tirèrent Michel Audiard et Denys de la Patellière, qui le réalisa, Gabin joua le rôle du chef d'une de ces dynasties à qui l'argent donne un pouvoir à demi occulte mais considérable. Banquier, grand sucrier, propriétaire d'un journal, le baron Noël Schoudler régente sa famille et règle le destin des siens à sa convenance, pèse sur l'opinion publique grâce à son quotidien, et punit ceux qui lui ont manqué en les ruinant par un coup de bourse. C'est un homme dur et coriace, à qui les sentiments ne font jamais perdre la tête.

Un grand rôle, dans une histoire spectaculaire propre à émouvoir les foules avides de connaître les secrets de ce que l'on appelait les « deux cents familles ». Gabin le composa avec ses ressources propres : le genre bourru qu'il adoptait avec les inconnus, les « emmerdeurs » et les « cons » ; son sens de la famille — et son don de fixer dans sa mémoire les caractéristiques qui donnent toutes les apparences de la vérité à un personnage de fiction.

Avant le tournage du film, Gilles Grangier, de passage à Deauville, s'en vint dire bonjour à une famille qu'il aimait entre toutes — celle de Moncorgé, dit Gabin — qui y possédait une villa charmante et y séjournait justement. La première personne qu'il vit fut Dominique, qui lui dit :

— Jean n'est pas là. Mais il ne doit pas être loin, il est en pantoufles.

Grangier ressortit et, dans la rue, s'entendit apostropher à mi-voix par son copain acteur. En pantoufles, comme l'avait dit Dominique, il se dissimulait et semblait épier quelque chose.

— Viens ! dit-il, mais ne te montre pas. *Il* va sortir.

Il, c'était Marcel Boussac, le grand homme du textile, un Noël Schoudler en vrai, qui était le voisin deauvillais de Gabin. Celui-ci n'aurait eu aucune difficulté à le rencontrer dans le monde, mais il voulait le voir à l'improviste, dans sa solitude d'homme que franchit son seuil sans se savoir regardé, aussi naturel et livré à lui-même qu'il est possible, tel que l'avaient façonné sa vie et sa situation exceptionnelle, mais pas en représentation. C'était le fruit des leçons d'avant-guerre : Julien Duvivier le faisant vivre dans l'authentique Bandera avant de tourner son film, Jean Renoir lui faisant apprendre à conduire une locomotive avant de réaliser *La Bête humaine*. A ces deux hommes-là, il reconnaissait qu'il devait quelque chose, cela entre autres, et sa mémoire photographique, habile à capter et à retenir les détails évidents ou infimes, en faisait son miel.

Avec *Les Grandes Familles*, Gabin reconquit son trône. On affirme généralement qu'il l'avait retrouvé avec *Touchez pas au grisbi*, mais lui-même répéta souvent qu'il n'avait pas ressenti les choses comme cela. Avec *Les Grandes Familles*, il redevint le premier au box-office (le film fit cinq cent mille entrées), une place qu'il ne quitterait plus. Et, au plus profond de lui-même, il dut se sentir fier d'un métier qui permettait à un homme comme lui, ancien écolier rebelle, ancien ouvrier, d'être puisamment pendant le temps d'un film, et sans qu'on sentît la composition, l'omnipotent et impitoyable Noël Schoudler. Ce n'était pas de la vanité sociale, mais de l'orgueil professionnel, la satisfaction d'avoir bien accompli son périple.

Cet orgueil, il ne l'étalait pas, il avait trop de pudeur pour conter ses émois, de quelque ordre qu'ils fussent, mais il est assurément significatif qu'il choisit, pour suivre son rôle de baron, un personnage de clochard. C'est lui qui en eut l'idée, peut-être sous l'inspiration inconsciente des aînés qu'il avait le plus admirés : Mistinguett, qui avait créé tant de personnages de la rue, Maurice Chevalier dont le *Ma pomme* était devenu un pilier de son répertoire. On peut donc penser que l'idée cheminait en lui, mais c'est une silhouette passant dans son champ de vision qui la déclencha.

C'était à Paris, un beau soir de 1958. Gabin, Audiard et

Grangier dînaient ensemble à la terrasse de l'Elysée-Club, avenue Matignon. Grangier et Audiard étaient préoccupés : ils cherchaient un sujet pour leur camarade et se demandaient quelle situation lui donner, maintenant qu'il était pratiquement arrivé au sommet de l'échelle sociale dans *Les Grandes Familles*. On ne pouvait tout de même pas lui faire faire le bon Dieu à Gabin, silencieux, les écoutait gamberger à haute voix sans paraître les entendre et sans intervenir, sauf qu'à un certain moment, il attira leur attention sur un clochard qui promenait une demi-douzaine de chiens, tenus chacun au bout d'une ficelle. Gilles Grangier vit *un drôle de bonhomme, pouilleux mais digne*, et reprit sa conversation avec Audiard.

A la fin du repas, Gabin leur coupa enfin la parole :
— Moi, j'ai envie de jouer un clochard. Un clochard philosophe, dans le genre Diogène.

C'est ainsi que ça commença. Non seulement l'acteur avait une vision nette de son personnage, mais il avait conçu les grandes lignes de son histoire.

Grangier fut emballé, Audiard pas. N'importe, avant de se séparer, ils avaient à trois trouvé le titre, *Archimède le Clochard*, et il était évident que le film se ferait. Jean-Paul Guibert, le producteur, ne croyait pas plus qu'Audiard au sujet, mais le temps était revenu où les producteurs avaient pour axiomes : qu'importe le sujet pourvu qu'on ait Gabin.

Grangier enthousiaste, Audiard réticent et flemmard, prirent Albert Valentin comme coscénariste — Michel Audiard faisant seul le dialogue — et développèrent « l'idée originale de Jean Moncorgé », ainsi qu'il fut dit au générique, pour raconter l'histoire ou plutôt divers événements de la vie d'Archimède, clochard instruit et cultivé qui cite Apollinaire, petit-déjeune au muscadet, fait grand cas de sa dignité et de ses principes libertaires et, prenant pour prétexte de ramener une jolie levrette égarée à ses propriétaires du XVIe arrondissement, participe à leur soirée mondaine et y danse le charleston.

Le charleston, c'était une idée de Grangier, qui adorait mettre dans ses films une chanson ou un numéro qui lui rappelait le caf' conc' d'antan. Gabin la trouva exécrable — danser le charleston, à son âge, et avec ses grosses pompes de clochard ! — et il fallut au metteur en scène une bonne dose d'insistance pour qu'il acceptât — mais pour quelques mesures seulement ! Mais voilà ! Le merveilleux danseur qu'il était toujours se réveilla et se prit au jeu ; il fit un numéro éblouissant que l'opérateur filma de bout en bout grâce à un travelling que l'astucieux Grangier avait à tout hasard prévu. Et ce charleston fut le clou d'un film qui valut à son protagoniste le grand prix d'interprétation au festival de Berlin, à l'étonnement quasi outragé de Jean-Paul Guibert qui n'en démordait pas et détestait toujours le sujet.

La vie est ainsi pleine de pirouettes imprévues. Grangier se souviendra toujours de la fin du tournage, qui se passait à Cannes, par un temps si exécrable que le travail devint impossible. Enfermée dans son hôtel depuis quatre jours, l'équipe s'abandonnait à l'ennui et à la déprime, et Jean-Paul Guibert et le metteur en scène, navrés, regardaient tomber la pluie lorsque Jean Gabin apparut dans le bar où ils se tenaient, drapé dans son peignoir de bain, et déclamant... déclamant une tirade de Corneille, cent vers pour le moins, qu'il avait appris Dieu sait quand, Dieu sait où, sans doute quand il exerçait une mémoire qu'il croyait incertaine et qui était en fait admirable — à preuve !

Ce genre de surprises, Gabin les réservait à ses intimes. De même qu'il n'étalait pas ses émois, de même il cachait sa culture. Il y avait des auteurs qu'il connaissait fort bien, mais il n'en parlait guère. Il se présentait volontiers comme quelqu'un qui ne lit que *Paris-Turf* et *L'Equipe*, et ne laissait percevoir dans le privé ses dons de mémorisation que pour évoquer sans une erreur vingt ans de vainqueurs du tour de France cycliste. Il n'y avait pas homme moins vantard, donnant toujours de lui-même une image modeste, assurant aux journalistes qu'il n'était qu'un artisan consciencieux ne tournant ses films que parce qu'il faut bien gagner sa vie pour entretenir sa famille et payer le fisc dévorant, ne se sentant surtout pas chargé d'une mission ni habité par une flamme sublime, tout simplement acteur parce qu'un homme doit avoir un métier et qu'être acteur est un métier comme un autre, mieux payé certes — d'où il vaut mieux être acteur que prolétaire. Il n'employait pas l'expression « mon » public, mais « le » public,

138

n'acceptait les interviews que s'il ne pouvait pas faire autrement et évitait de répondre aux questions d'ordre général, comme par exemple de politique.

D'aucuns lui faisaient reproche de sa réserve. Un jour son ami Georges Simenon, dont plusieurs romans avaient été les sujets de ses films — les *Maigret* bien sûr, mais aussi *La Vérité sur Bébé Donge, La Marie du port, En cas de malheur* —, Simenon donc lui demandait pourquoi il ne faisait pas meilleur accueil aux journalistes. Gabin répondit :

— Si je le faisais, ils s'apercevraient que je suis un con. S'ils ne m'entendent que dans mes films, il croient que je suis intelligent parce que je dis des paroles écrites par des autres !

Il avait certainement un contentieux secret avec ses dialoguistes — et plus simplement avec lui-même, ses doutes sur lui, sa timidité.

Gilles Grangier raconte à ce sujet une anecdote qui éclaire un peu plus la question. On se souvient que, en 1955, Gabin avait tourné successivement deux films où il était un routier, ce qui lui avait valu auprès des chauffeurs de poids lourds un grande popularité et le titre de routier d'honneur. La popularité a ses exigences. Tournant l'année suivante à La Rochelle, sous la direction de Grangier, *Le sang à la tête* — encore un sujet inspiré d'un Simenon, *Le fils Cardinaud* —, l'acteur fut invité par ses fans chauffeurs qui donnaient une fête à quelques kilomètres de là. Si réservé fût-il, il devait accepter, et il le fit de bon gré. Mais, le jour de la fête, le tournage se prolongea fort avant dans la nuit à cause d'ennuis techniques, et ni Gabin ni Grangier ne songèrent à faire prévenir les routiers. Ayant vainement attendu et excités comme on peut l'être quand on fait la fête, une trentaine de conducteurs furibonds s'amenèrent avec leurs camions sur le lieu où l'on tournait toujours, en vociférant :

— Gabin ! Gabin ! On veut Gabin ! Vous vous foutez de nous, ou quoi ?

Le pire était à craindre. Ces hommes se sentaient offensés et il était clair qu'il y avait de la bagarre dans l'air. Alors, Gabin alla vers eux ; sa présence imposa le silence ; il improvisa un laïus expliquant la situation et les exigences du métier de cinéaste.

Les gars pigèrent, se calmèrent, repartirent. Alors, l'acteur revint placidement vers Grangier et lui dit :

— C'était peut-être pas de l'Audiard, mais tu as vu : ça a porté !

Avec Audiard, il avait assurément un problème : leur conjonction avait eu quelque chose de miraculeux, mais peut-être aussi d'angoissant, comme peut l'être la rencontre de deux sosies. Gabin s'en ouvrit une fois à un journaliste :

— Avec Audiard, on pourrait dire que j'ai de la chance d'avoir un dialoguiste qui travaille exprès pour moi. Mais lui, est-ce qu'il n'a pas la chance d'avoir un acteur qui joue exprès pour lui ?

A partir de 1963, Audiard cessa d'être le dialoguiste attitré de Jean Gabin. Dans les journaux, on parla de brouille entre les deux hommes, mais en vérité il n'y eut pas de brouille ni de rupture — juste un concours de circonstances sans doute doublé d'un certain agacement, d'un besoin mutuel de prendre de la distance. Cet éloignement dura près de cinq ans pendant lesquels d'autres dialoguistes, comme Pascal Jardin, José Giovanni ou Alphonse Boudard, prêtèrent leurs mots à la vedette.

Pourtant Gabin n'était pas enclin à s'entourer de nouvelles têtes. Il aimait se retrouver avec les metteurs en scène et les techniciens qu'il connaissait bien, des partenaires éprouvés et de préférence amis, et, naturellement, la fidèle Micheline, toujours à son poste. Il avait besoin d'avoir confiance, de savoir qu'il serait épaulé par des professionnels confirmés qui ne lui feraient pas défaut. Car ses déclarations bougonnes et modestes ne faisaient que masquer un perfectionnisme aigu, et le trac, et la sainte trouille de rater son affaire.

Il disait :

— Quand j'étais jeune, je faisais des films pour être bon. Maintenant, c'est pour le pognon.

Mais il fallait le voir dans un studio — Micheline, entre autres, est là pour en témoigner —, rencoigné dans son fauteuil, muet, tout entier enfermé dans son personnage, l'air absent voire méchant pour qu'on ne vînt pas l'en déloger, concentré à l'extrême parce que tout aussi anxieux que dans sa jeunesse d'être bon. Il avait des parades curieuses, comme celle que décrit Gilles Grangier et qui consistait à être un jour sur deux de mauvais poil pour que ne s'installât pas sur le plateau un climat de camaraderie et d'habitudes qui le dérangeait dans son travail. Il se méfiait des gens qui vous serrent la main dix fois pour une, qui vous sautent au cou comme si vous aviez eu la même nourrice. Lui, il donnait une poignée de main à tout le monde au début d'un tournage, et une autre à la fin — c'était bien assez.

Il se méfiait aussi des acteurs qu'il ne connaissait pas très bien et sur lesquels il se faisait une religion à son idée, souvent avec une mauvaise foi flagrante. N'allant pratiquement jamais au théâtre et au cinéma, il se forgeait son opinion grâce au hasard des émissions qu'il voyait à la télévision, ce qui lui faisait parfois commettre des bévues, comme de s'entêter à ne pas vouloir de Robert Hirsch pour le rôle d'un inquiétant secrétaire dans *Maigret et l'Affaire Saint-Fiacre* parce qu'il ne l'avait vu que dans des pantalonnades parodiques, ou, de même, de refuser Robert Stack pour *Le Soleil des voyous*, sous prétexte de son manque d'expression parce qu'il ne connaissait de lui que le chef au masque froid des *Incorruptibles*. Les deux fois, le metteur en scène Jean Delannoy parvint à vaincre ses réticences et n'eut qu'à s'en louer. Gabin, aussi, se réjouit finalement, car s'il était entêté et râleur, il savait rendre au talent, au charme et à la drôlerie l'hommage qu'ils méritaient, et ses rancunes ou ses préjugés fondaient comme neige au soleil pour peu qu'on l'amusât. Avec Robert Hirsch, puis avec Robert Stack, il devint ami lorsqu'ils l'eurent fait rire et qu'ils eurent fait la preuve qu'ils étaient tous deux d'excellents comédiens.

Ces caprices d'enfant, ces manies de vedette, ces comédies rituelles, tous ces travers qui émaillaient sa vie quotidienne et donnaient mauvaise opinion de lui à ceux qui le connaissaient mal, c'étaient les rançons du métier, autant de défenses contre la solitude de l'acteur qui s'investit totalement dans de successifs et nombreux personnages, autant de manières de se préserver et d'*être*.

Mais heureusement pour lui, entre deux films il en avait d'autres, assez solides pour l'emmener loin du cinéma : sa famille, son goût d'organiser et de construire, et ses terres.

CHAPITRE XIII

La terre, pour Jean Gabin, ç'avait d'abord été l'instrument de sa réinsertion sociale, au cas où son métier d'acteur aurait cessé de le nourrir. Pendant les années de l'après-guerre où il ne tenait plus le haut du pavé, il avait réellement craint que sa carrière ne prît fin et réellement cru que, dans ce cas, il pourrait se recycler comme exploitant agricole. La gloire revenue, son but s'était déplacé : ses biens étaient devenus l'héritage qu'il laisserait à ses enfants et leur outil de travail. A l'opposé de son propre père, il ne désirait pas que ses rejetons devinssent acteurs — il n'avait pas cessé de penser, même après y avoir si brillamment réussi, que c'était un métier très dur, trop dur — et son rêve les imaginait mieux travaillant les arpents qu'il achetait pour eux.

A ce nouveau rêve se juxtaposaient bien évidemment les plaisirs immédiats que lui procuraient ses propriétés. Sa ferme, c'était un des contrepoids nécessaires aux tensions produites par sa profession. Ayant toujours été sensible au contact avec la nature, il refaisait ses forces en touchant la terre, comme le géant Antée, et la Pichonnière contentait largement divers aspects de sa personnalité : son côté paysan, son côté propriétaire et bourgeois, son côté enfant que réjouissent de magnifiques jouets, son côté *paterfamilias* qui veut offrir aux siens de saines distractions et du bon air, et aussi son côté bâtisseur.

En 1962, il possédait environ trois cents hectares au soleil : la Pichonnière, cent quinze hectares d'un seul tenant où il avait sa résidence, et diverses autres terres d'une superficie variant entre quarante et soixante-cinq hectares. Sa maison des champs était vaste, de belle apparence, bien entretenue et d'un confort très étudié. Sa construction, les achats ou les échanges de terrains destinés à arrondir son domaine, l'occupaient depuis dix ans. Le plus souvent, il avait acquis des terres nues, qu'il avait fait défricher. Ainsi mises en valeur, sur les herbages créés, il avait élevé d'abord des vaches laitières qu'il avait remplacées au bout de quelque temps par des bêtes de boucherie.

Parallèlement, il élevait des chevaux. Il aimait le monde du cheval. En 1950, déjà, il avait acheté deux galopeurs en compte à demi avec un ami ; il y avait eu alors dans la presse quelques allusions au « prolo » Gabin devenant propriétaire de chevaux de courses : c'était l'époque où ses rôles d'avant-guerre élevaient encore leur rideau de fumée entre sa personne et l'idée que les journalistes s'en faisaient. Vers 1960, il réalisa plus sérieusement son rêve et commença de se faire une écurie de trotteurs : il acheta une première poulinière, Hortensia VII, puis d'autres et un étalon, Quartier-Maître. Il engagea un entraîneur : mais faire un cheval, l'élever, l'intéressait plus que de le faire courir — ça correspondait mieux à son tempérament créateur et organisé. Pour nourrir ses demi-sang, il ensemença en avoine sa ferme de Digny et acquit à Merlerault des terres qui attendaient vainement un acheteur depuis plus de cinq ans. A Moulins-la-Marche, pas bien loin de la Pichonnière, il fit édifier un champ de courses avec tribune et pari mutuel où des réunions seraient organisées plusieurs fois par an. Aux grands hippodromes de la région parisienne ou de Deauville, il préférait ceux peu connus de province, différemment fréquentés : on y respectait sa personne privée et son divertissement, on ne le regardait pas comme une bête curieuse et on ne cassait pas son plaisir en lui demandant intempestivement des autographes.

En bref, c'était un homme heureux, qui avait beaucoup travaillé — il était dans le spectacle depuis quarante ans — mais à qui son travail avait apporté de belles récompenses : la maîtrise de son métier, une renommée internationale et assez d'argent pour réaliser ses rêves. Professionnellement, il était au sommet et considéré comme la valeur financière la plus sûre du cinéma français. En 1961, Henri Verneuil l'avait mis en scène dans *Le Président*, adapté d'un roman de Georges Simenon paru en 1957. Gabin y incarnait un président du Conseil de la III⁰ République, homme farouchement intègre amené à mettre un point final, alors qu'il est à la retraite depuis vingt ans, à un épisode important de sa vie politique. Le film reçut une critique fortement teintée par les opinions politiques. D'inspiration gaulliste pour *L'Humanité*, il fut qualifié « de gauche » par Georges Hellio dans *Aspects de la France*. Chacun voit midi à sa porte. Mais Gabin, par sa présence, son aisance, son ton impressionnant, remporta tous les suffrages et attira un nombre considérable de spectateurs.

Le film suivant, qu'il fit avec Verneuil, *Un singe en hiver*, reçut une moindre approbation des journalistes et du public. Si Claude Mauriac le salua comme *un des meilleurs films français que nous ayons vus depuis longtemps*, les autres critiques furent moins aimables. Mais, dans l'opinion de Gabin, c'était et ce demeura un de ses films préférés. C'était l'histoire d'un homme qui a bu, qui ne boit plus, et qui, croisant fortuitement la route d'un jeune alcoolique, prend avec lui une cuite mémorable et spectaculaire, avant de rentrer dans le rang et le calme d'un « long hiver ». Pour cette œuvre tirée d'un roman d'Antoine Blondin, Michel Audiard avait mis dans son dialogue des accents poétiques inattendus. Le partenaire de Gabin, ce jeune père malheureux qui cherche ses évasions dans l'alcools et que l'homme vieillissant accompagne le temps d'une nuit dans ses « voyages », était Jean-Paul Belmondo, qu'un film nouvelle vague — *A bout de souffle* de Jean-Luc Godard — avait propulsé sous les projecteurs de la notoriété deux ans auparavant. On l'avait alors comparé à Gabin. Dans son article louangeur, Claude Mauriac entérina cette comparaison et parla de *vieux Roi, dont voici désormais incontestablement le Dauphin*. Gai, blagueur, incroyablement détendu pendant le tournage, Belmondo avait plu au « vieux roi ». Sa décontraction le surprenait, mais elle ne lui était pas antipathique ; il l'enviait et sans doute l'aida-t-elle dans un rôle qui demandait beaucoup d'extériorisation et qu'il joua avec un authentique plaisir.

Cette année-là, 1962, il était donc heureux, ayant fait ce film et, juste avant, un bon série noire, *Le cave se rebiffe*, tiré d'un roman d'Albert Simonin par ses chers complices Grangier et Audiard. Mais alors, il se passa quelque chose, qui allait le meurtrir pour longtemps, peut-être pour le reste de ses jours.

Ça se passa au mois de juillet, dans la nuit du 27 au 28 plus exactement. Dominique Gabin et ses enfants se trouvaient à Deauville, dans leur villa La Malmaison, mais Jean était à la Pichonnière. A cinq heures du matin, des hommes se mirent en devoir d'ouvrir le portail encastré dans le haut mur qui protégeait la propriété des regards. Cela se fit très simplement : le portail n'était pas fermé à clé et les hommes — ils étaient treize — n'eurent aucune difficulté à s'introduire dans la cour. Au ménage de gardiens attirés par le bruit et qui leur posait des questions, ils répondirent qu'ils étaient les délégués d'une manifestation paysanne et qu'ils demandaient audience à Jean Gabin.

Les délégués — les chefs — c'est en effet ce qu'ils étaient. Les manifestants, massés hors de la propriété, n'étaient pas moins de sept cents. Gérard Pottier et Maurice Thorel eux-mêmes, ceux qui avaient engagé le dialogue avec la gardienne et qui avaient organisé l'expédition, avaient été surpris par l'ampleur d'un rassemblement qu'ils escomptaient devoir être au plus de deux cents participants.

C'est l'avant-veille, le 26, qu'ils avaient eu l'idée. L'un et l'autre étaient de jeunes agriculteurs et, comme beaucoup de leurs semblables, ils étaient préoccupés par leur situation présente et par leur avenir. La vie n'était pas tendre pour la classe paysanne — elle ne l'a jamais vraiment été et les métiers de la terre, s'ils sont de ceux capables de susciter un attachement profond de la part des hommes qui les pratiquent, n'en sont pas moins contraignants et hasardeux. Les mutations économiques du XXe siècle, l'invention des machines agricoles et la modernisation des techniques ont changé leurs structures et rendu moins dures les tâches quotidiennes, mais elles n'ont pas aboli les problèmes, elle les ont déplacés.

Le 26, donc, de jeunes fermiers, membres importants de la section régionale du Cercle national des jeunes agriculteurs, s'étaient réunis avec la ferme intention d'inventer une action efficace pour attirer l'attention publique sur la nature de leurs difficultés. La veille, ils avaient eu connaissance des résultats d'une enquête menée depuis trois ans par une équipe désignée par eux pour effectuer une sorte de recensement, et les conclusions les avaient convaincus de la nuisance pour eux des cumuls abusifs : cumuls d'exploitations et cumuls de professions. A leur sens, trop de particuliers non agriculteurs, exerçant des métiers libéraux ou industriels bien rémunérés, achetaient des terres pour les faire exploiter par des ouvriers agricoles. Un septième de la superficie cultivable du canton de Laigle, canton où les jeunes trouvaient difficilement des fermes à louer pour y pratiquer leur métier, appartenait à des propriétaires — trente-cinq, révélait l'enquête — qui étaient par ailleurs commerçants, industriels, médecins ou artistes. Cette situation de fait, selon le rapport, mettait une entrave au droit au travail des petits paysans dépourvus de capitaux.

Aussi bien, n'était-elle pas ignorée des pouvoirs publics, cette situation. En ce moment même, une loi anticumul était discutée devant les chambres et devait incessamment être votée. Mais, à la réunion du 26 juillet, un membre régional du C.N.J.A., qui revenait de Paris, fit un compte rendu des débats parlementaires auxquels il avait assisté et exprima la crainte que la loi fût sujette à trop d'amendements et n'atteignît pas son but. Les personnes présentes furent d'accord qu'il fallait faire quelque chose, et c'est alors que Maurice Thorel avança le nom de Jean Gabin, parfait exemple de cumulard.

Ça paraissait une riche idée : un acteur, l'acteur français le plus célèbre, une personnalité dont les journalistes, malgré la discrétion dont il usait vis-à-vis d'eux, parleraient en long et en large, quelle que soit l'affaire à quoi il serait mêlé. Grâce à lui, grâce à sa popularité et à la publicité qui s'attachait nécessairement à son nom, les problèmes des agriculteurs seraient mis en lumière

146

devant la France entière, donnant à réfléchir aux députés et sénateurs, ainsi qu'aux candidats aux cumuls. Le 27 juillet à quatre heures du matin, la réunion ayant duré jusqu'alors, les jeunes syndicalistes étaient d'accord et leur décision prise. L'après-midi, ils mirent au point leur plan d'action et firent passer le mot dans toute la région d'une manifestation pour la nuit à venir. Ils fixèrent quatre points de ralliement dans la forêt et chronométrèrent les temps nécessaires aux voitures les plus lentes pour venir de ces points à la Pichonnière. A quatre heures trente, les manifestants devaient être réunis aux abords du portail de la propriété.

Lorsque Gérard Pottier y fut et se retourna pour voir la colonne en marche, il fut émerveillé par les dizaines et les dizaines de voitures. *Les phares illuminaient le terrain, légèrement vallonné, c'était magnifique*, raconterait-il plus tard. A cinq heures moins le quart, il monta sur une voiture et dit aux hommes réunis au nom de quelle cause il les avait convoqués, leur demandant de rester calmes et précisant que lui et les douze autres qui pénétreraient seuls chez l'acteur lui demanderaient de louer sa ferme de Digny et celle de Merlerault à de jeunes agriculteurs en mal de terres. C'est après cette harangue qu'ils pénétrèrent dans la cour et exposèrent leurs désiderata aux gardiens.

— Je vais aller voir, dit la femme.

Elle fut absente quelques minutes puis revint vers les délégués qui se tenaient à une vingtaine de mètres du perron ; elle leur dit que M. Gabin les recevrait un quart d'heure plus tard, le temps qu'il se prépare. De fait, lorsqu'il apparut au bout de ce délai, il était habillé, d'un costume de ville. Du perron, il invita ses visiteurs à entrer dans son bureau.

— Qui sont les responsables ? demanda-t-il, l'œil interrogatif.

— Nous sommes tous des responsables, répondit Pottier. Les adhérents sont dehors.

Il désigna le portail entrouvert, au-delà duquel on voyait un petit groupe d'hommes. Dans le bureau, il présenta en détail chacun de ses compagnons ; tous exerçaient des responsabilités municipales ou professionnelles.

Ensuite, le leader exposa la position difficile des jeunes

agriculteurs et de quelques anciens, citant des cas particulièrement symptomatiques et poignants.

— Ce que je ne comprends pas, dit l'acteur, c'est en quoi cela me concerne.

Il expliqua qu'il avait quatre fermes, qu'elles lui appartenaient sans contestation possible : il les avait payées avec l'argent de ses cachets, acquis par un dur travail ; il les avait payées doublement en quittant son métier fructueux pendant la guerre pour s'engager et contribuer à libérer le sol français. Puis il parla de ses enfants et dit que ses terres étaient pour eux, pour qu'ils puissent gagner leur vie quand le cinéma ce serait fini.

— Ici, à la Pichonnière, j'ai cent quinze hectares. Je ferai construire des maisons pour chacun d'eux, je vois déjà où. Ainsi, ils se retrouveront tous ici.

Gérard Pottier saisit la balle au bond. Il y avait bien une demi-heure qu'on causait, sans compter l'attente qui avait précédé, et il n'avait pas encore abordé le point principal, celui qui avait fait l'objet de sa promesse aux hommes qui attendaient dehors.

— Eh bien ! c'est parfait, dit-il. Vous reconnaissez que vous avez ici tout ce qu'il vous faut, pour vous et pour vos enfants. Donc vous pouvez affermer Digny et Merlerault et les louer à l'un de nous.

— Louer Digny et Merlerault ! Digny est une ferme céréalière. J'y cultive l'avoine de mes chevaux !

Ignorant la réplique — il n'était pas venu là pour se laisser convaincre ! — Gérard Pottier revint à la charge avec ses propres arguments et une insistance redoublée. Il répétait qu'il ne voulait pas toucher à la Pichonnière, mais que c'était fini, maintenant, d'acheter des terres, et que Merlerault et Digny, il fallait les louer.

— Je vois que vous voulez m'emmerder, dit Gabin. Dans ces conditions, je m'en vais tout vendre.

— Ça ne nous intéresse pas, que vous vendiez ! Nos jeunes n'ont pas d'argent pour acheter. Ce que nous voulons, c'est que vous louiez.

Dehors, les manifestants avaient ouvert plus largement le portail et, par petits groupes, entraient dans la propriété. D'autres s'étaient hissés sur le haut mur coiffé de tuiles. Bien que Pottier ou d'autres délégués fussent sortis à plusieurs reprises pour leur raconter où en était la discussion et leur demander de rester calmes, il était clair que l'attente leur devenait longue.

Alors ils entraient. Certains étaient arrivés à la porte du bureau. D'autres s'égaillaient dans le jardin, dans le potager. Un des hommes qui étaient près du bureau en ouvrit la porte et cria une insanité à l'acteur.

— Moi, je suis corect, répliqua celui-ci, vous pourriez l'être aussi !

Pottier fit taire l'homme et le fit partir d'où il était, mais le ton était donné. Maintenant, les manifestants étaient excités, ils devenaient bruyants, audacieux, de plus en plus nombreux à approcher de la maison.

— Vous devriez vous hâter de prendre une décision, dit un des délégués. Sinon, ils pourraient tout casser.

— Ils casseraient quarante ans de travail, dit sombrement Gabin.

L'air assez détendu quand il était apparu sur le perron, il n'avait pas caché sa surprise devant le nombre important de délégués qui entendaient lui parler. Maintenant, il découvrait l'importance du rassemblement, il comprenait que des centaines d'hommes s'étaient déplacés et qu'ils n'étaient pas animés de bons sentiments à son égard. Leur hostilité était goguenarde, ou grossière, de toute façon évidente.

Bouleversé et la voix lasse, il finit par lâcher :

— Si je n'ai pas vendu d'ici la fin de l'année, je mettrai des locataires à Digny et à Merlerault.

— Vous signeriez un papier ?

— Je ne signerai rien du tout. Vous avez ma parole.

Sur quoi Gérard Pottier et ses amis s'en furent annoncer cette victoire à leurs troupes et les rameutèrent

— Etes-vous prêts à recommencer une action semblable dans un autre arrondissement ? demanda Pottier.

Les paysans hurlèrent que oui et s'éloignèrent enfin.

Alors, Jean Gabin, atterré, brisé, voulut téléphoner à sa femme afin qu'elle apprît par sa bouche plutôt que par les médias ce qui venait de se passer, et c'est ainsi qu'il s'aperçut que les fils du téléphone avaient été coupés.

On ne sut jamais qui avait fait le coup. Les conjurés admirent qu'ils y avaient pensé lorsqu'ils mettaient au point les détails de leur expédition — dans le but d'éviter un appel à la gendarmerie qui aurait pu créer un

149

affrontement dangereux — mais il avaient en fin de compte renoncé à ce projet, assurèrent-ils. Le fait est cependant que la ligne fut bel et bien coupée. Par la suite, Jean Gabin apprit que ce délit ne le concernait en rien, que la victime en était l'administration des P. et T. Celle-ci fit preuve de mansuétude et ne porta pas plainte.

L'acteur non plus ne porta pas plainte. Pas tout de suite. Il était certes en colère : ses visiteurs du petit matin l'avaient insulté, ils avaient piétiné ses parterres, mangé les fruits du jardin, brisé les tuiles de son mur et — ce que le mettait particulièrement hors de lui — pissé sur les rosiers qui étaient le plaisir et l'orgueil de sa femme. Mais bien plus qu'en colère il était abattu, décontenancé. Il ne pouvait penser sans un chagrin intense que s'étaient rassemblés pour l'agresser des centaines d'hommes dont il se croyait proche parce que, comme eux, il était passionné par la nature, la culture, l'élevage. Il n'avait pas commis de crime. Il avait fait du bon travail, rendu à l'exploitation des terres abandonnées, remplacé des masures par des bâtiments solides et fonctionnels. Il croyait en toute bonne foi qu'en agissant ainsi, en gérant lui-même ses propriétés après avoir acquis une compétence réelle en la matière, il s'était attiré l'estime des paysans et leur reconnaissance en tant que pair. Jusque-là, il avait entretenu avec eux de bonnes relations et il pensait être leur ami. Mais ils étaient venus en masse, et pas un parmi eux n'avait eu l'idée de le prévenir ou de dissuader les autres. Pas un ! Désormais, il n'aurait plus jamais confiance. Il ne pourrait plus jamais croiser un fermier de cette région sans se demander : et lui, était-il là ce sombre samedi 28 juillet 1962 ?

Bien sûr, il lut dans la presse que cette manifestation ne le visait pas personnellement, qu'elle s'adressait à travers lui au gouvernement. Mais l'horreur de cette aube, c'est lui qui l'avait vécue, non ? C'est lui qui avait entendu les menaces, les sarcasmes et les injures, lui qui avait souffert la peur et la tristesse. Quand il se disait que sa femme et ses enfants eussent pu être là, il en frémissait, sûr qu'il n'aurait pu se maîtriser.

C'est auprès d'eux qu'il alla d'abord chercher consolation. Il passa le dimanche avec eux à Deauville où il

150

commença à recevoir des témoignages de sympathie et d'encouragement. Dans les jours qui suivraient, les messages afflueraient — treize d'insultes, certes, dont sept anonymes qui allaient encore renforcer sa mélancolique méfiance — mais beaucoup plus, finalement, émanant d'admirateurs inconnus comme de personnalités, qui l'assuraient de leur amitié ; ils lui conseillaient de ne pas céder, ne doutant pas de son bon droit.

Parmi ces messages, d'aucuns lui vinrent d'anciens copains de guerre, d'anciens marins comme lui, qui l'incitaient à résister aux pressions et s'offraient à lui prêter main-forte si le besoin s'en faisait sentir. Ça, c'était un genre de choses de nature à le réconforter, mais son bouleversement et son incertitude demeuraient grands. Il songeait à ses enfants — l'aînée, Florence, avait treize ans —, se disait qu'il ne voulait pas qu'ils eussent plus tard à penser qu'il avait manqué à l'honneur ou qu'il les avait lésés dans leur patrimoine.

Le lundi, il quitta Deauville pour Paris, dans l'intention de prendre conseil de l'illustre avocat Me Floriot. Celui-ci se trouvait en vacances au Gabon, où il participait à un safari ; après s'être entretenu avec son adjoint, Me Jacquet, Gabin déclara qu'il attendrait son retour pour prendre une décision.

Cependant, la Fédération nationale des syndicats d'exploitants agricoles annonçait qu'elle couvrait l'action de la C.N.J.A. du canton de Laigle, tout en recommandant à ses membres d'éviter désormais les manifestations contre des personnes, parce qu'elles risquent d'inverser les courants de sympathie qu'elles sont censées susciter. Elle reconnaissait le droit à l'agriculture de plaisance, tout en le subordonnant au droit à la vie de ceux qui n'ont qu'elle pour métier.

Le 8 août, la loi complémentaire agricole, qui prévoyait une réglementation des cumuls, fut promulguée.

Le 12 du même mois, Me Floriot revint d'Afrique. Gabin et lui se concertèrent pendant plusieurs heures à l'issue desquelles ils annoncèrent leur décision de porter plainte entre les mains d'un juge d'instruction au palais de justice d'Alençon — plainte contre X pour violation de domicile et tentative d'extorsion de signature. La presse rapportait avec force détails toutes les péripéties de cette « affaire Gabin ». On sut ainsi que Maurice

Thorel, le premier des responsables à avoir avancé le nom de l'acteur pour être la cible d'une action directe, fut proprement indigné. Jean Gabin pour sa part expliqua qu'il portait plainte parce que les pouvoirs publics n'avaient rien fait pour les défendre, lui et son honneur : l'enquête avait été vague ; une trentaine de manifestants avaient été identifiés, qui présentaient leur expédition comme une sorte de pique-nique tardif. Dans les villages, régnait la conspiration du silence, et personne n'avait essayé sérieusement de la briser. Dans ces conditions, il devait faire reconnaître son bon droit par la justice. Mᵉ Floriot, lui, répondit aux journalistes que M. Gabin, à juste titre bouleversé au moment des faits, ne s'estimait pas lié par ce qu'il avait pu dire sous la contrainte. En homme courageux qui sait que sa cause est juste, il s'était repris.

De toute façon, ne faut-il pas toujours se reprendre, et sur tous les plans ? Le chagrin et la déception vous tombent dessus et vous laissent au cœur une cicatrice indélébile, mais la vie a ses droits, le travail ses devoirs, les contrats signés leurs exigences.

Gabin tournait alors *Le Gentleman d'Epsom*, aimable et brillant divertissement dû aux talents conjugués de Gilles Grangier, Albert Simonin et Michel Audiard. Le film sortit en octobre et, le même automne, l'acteur commença *Mélodie en sous-sol*, un film à suspense où son compagnon d'aventures serait Alain Delon, un garçon de vingt-sept ans qui faisait du cinéma depuis 1957 et que des films de René Clément, Antonioni, Visconti avaient mis en vedette : le dernier était *Le Guépard*. Le metteur en scène qui devait orchestrer le duo du « vieux roi » et d'un de ses dauphins possibles aimait ce genre d'ouvrage : c'est lui qui avait fait tourner ensemble avec bonheur Gabin et Belmondo dans *Un singe en hiver*. C'était Henri Verneuil.

CHAPITRE XIV

Sur le plan privé et le plan professionnel, la rencontre de Gabin et du jeune Delon fut une réussite, comme l'avait été celle du même Gabin et de Jean-Paul Belmondo, quelque deux ans avant. A son illustre aîné, le cadet donna des preuves d'admiration et d'affection qui l'émurent.

Henri Verneuil, dont c'était le vingtième film, avait voulu faire de *Mélodie en sous-sol* une œuvre d'intense suspense créé davantage par les situations et les images que par les dialogues. Il atteignit son but. Non seulement la réussite commerciale fut complète tant en France qu'à l'étranger — au Japon, par exemple, le film fit deux cent quarante mille entrées en quatre semaines — mais la critique fut excellente, à peu d'exceptions près. Certes, on pouvait reprocher au sujet d'être la énième mouture de l'histoire du vieux truand qui tente un dernier coup — et ces reproches furent effectivement faits. Mais la facture, la qualité de l'interprétation et la surprise du dénouement le sauvaient de la banalité. Louis Chauvet n'hésita pas à le classer à côté de *Touchez pas au grisbi* et du *Rififi chez les hommes*, série noire de Jules Dassin, qui avait fait crier au chef-d'œuvre en 1953. De Jean Gabin, il écrivit : *Je ne crois pas qu'il ait jamais eu l'occasion de mieux se renouveler ni plus puissamment. Ses attitudes muettes, à l'épilogue, sont aussi l'expression d'une sorte de génie de la présence que nul aujourd'hui n'égale.* Il ajoutait enfin : *Alain Delon donne à ce caïd du septième art une réplique très sûre, et lui seul parmi les jeunes comédiens actuels pouvait lui tenir tête avec une aussi discrète effronterie. Ni l'un ni l'autre ne pourra se plaindre de la confrontation.*

Il y avait de quoi être plus que satisfait : quand un homme de cinquante-neuf ans se voit, pour son soixante-quatorzième film, décerner de tels éloges, il doit se sentir envahi par un orgueil légitime et par un désir de se renouveler encore. Pourtant, au moment de la sortie du film, en avril 63, alors que les files s'allongeaient devant les cinémas où il était donné, Jean Gabin donnait à Deauville une interview où il annonçait que *Mélodie en sous-sol* serait son avant-dernier film. Sa décision était prise. Il avait promis à son ami Gilles Grangier de faire avec lui un Simenon — *Maigret voit rouge* — mais après, fini !

Entre le premier tour de manivelle et la sortie de *Mélodie*, il avait été malade. Une vilaine grippe et un zona que son épouse Dominique attribuait, avec raison sans doute, à ses déboires de l'année précédente. La vie n'avait plus tout à fait les mêmes couleurs depuis une certaine aube de juillet. Son travail le fatiguait davantage. Ses maladies l'avaient obligé à garder le lit un mois. Un mois ! Oui, il aspirait à se retirer.

Des interviews sur ce thème, il en donnerait d'autres, la prochaine dès le mois de décembre suivant, à Léon Zitrone. Après le tournage de *Maigret voit rouge*, il avait été de nouveau malade. Il aurait bientôt soixante ans. Un acteur a droit à la retraite, comme n'importe quel travailleur. Il ne resterait pas inactif. Il se consacrerait à ses activités d'éleveur et d'agriculteur. Il aimait ses chevaux, il aimait ses bovins. Il avait acheté un taureau nivernais de douze cents kilos, dont il espérait beaucoup pour l'amélioration de son cheptel. Les premiers veaux issus du mariage de cet animal superbe et de ses vaches normandes étaient beaux, c'était bon signe.

Comme Zitrone lui demandait si son affrontement avec les paysans ne l'avait pas dégoûté de la campagne, il répondit que non, que sept cents hurleurs n'avaient pu réussir à effacer l'amour qu'il portait à la nature ; il se plaisait de plus en plus à la campagne et de moins en moins au cinéma. Alors, dans ces conditions, il ferait encore un film, mais ce serait vraiment le dernier ! Le « der des ders », comme disent les piliers de bar en vidant leur verre... avant d'en recommander un autre. *Maigret voit rouge* n'avait pas été le vrai « der des ders » ; Jean-Paul Le Chanois était en train de lui en mijoter un autre : *Monsieur*.

Dans un rôle à facettes, Gabin fit dans ce film une nouvelle démonstration de son talent et de sa présence inégalable. Riche bourgeois jouant les truands avant de se métamorphoser en domestique de grande maison, il épata tout le monde, à commencer par son metteur en scène, à qui il servit un valet de chambre aussi stupéfiant de vérité que l'accoucheur provincial dans *Le Cas du docteur Laurent*.

Après quoi, Jean Gabin oublia de prendre sa retraite. Quelque chose arriva qui lui redonna goût à la vie et au cinéma : il rencontra Fernandel et fonda avec lui une maison de production.

Fernandel, c'était pour lui une vieille connaissance. A leurs débuts dans le cinéma, les deux hommes avaient tourné ensemble en l'espace de deux ans dans trois films : *Paris-Béguin, Cœur de lilas* et *Les Gaietés de l'escadron*. Après cela s'étaient passés près de trente ans où ils s'étaient quasiment perdus de vue, mais pendant lesquels ils étaient devenus des Français très célèbres, dont le seul nom sur une affiche de cinéma remplissait les salles.

Ils avaient à peu près le même âge — Fernandel était né en 1903. Tous les deux avaient eu un père qui leur avait tracé la voie : Denis Contandin — celui de Fernandel, épicier de son état — se transformant le samedi et le dimanche, en retournant son prénom pour en faire un nom d'artiste, Sined, en Polin de la banlieue marseillaise. Et c'est au music-hall que les deux vedettes avaient fait leurs débuts et leur apprentissage, subissant notamment la tyrannie de Mistinguett. Mais le music-hall étant école universelle, les sketches réalistes avaient mis au jour le talent dramatique de Gabin, cependant que la chansonnette à couplets révélait les dons comiques d'un

Fernandel servi par une « tronche » inoubliable et terriblement expressive.

Leurs voies s'étaient donc séparées et leurs inclinations fondamentales n'avaient pas de quoi les rapprocher. Car Fernandel, on l'a vu, était marseillais. Marseillais de naissance, d'accent, de cœur, de tripes, de goûts et d'habitudes. Ça le différenciait forcément de Jean Gabin, Parisien d'origine alsacienne et Normand d'adoption, très réservé, sinon hostile, quant à tout ce qui existait au sud de la Loire. Sauf à en ressentir un violent désir, comment se seraient-ils vus souvent, travaillant l'un et l'autre beaucoup dans un métier très absorbant et passant leurs loisirs, l'un dans les Bouches-du-Rhône et l'autre dans ses herbages de l'Orne ? Pour les réunir, il fallait que le diable s'en mêle — le diable ou le bon Dieu, à moins que ce ne soit quelque ami bienveillant.

Il y en eut au moins deux qui jouèrent ce rôle, deux metteurs en scène, Henri Verneuil et Gilles Grangier. Henri Verneuil était marseillais comme Fernandel. Jeune homme à la chevelure d'ébène, à l'œil vif et à l'accent qui ne trompe pas, il avait débuté dans la carrière en tournant un court métrage sur sa ville, *Escale au soleil*, pour lequel il s'était aventuré à demander à son illustre concitoyen d'en dire le commentaire. Non seulement cette demande fut accueillie avec bienveillance, mais l'acteur proposa au débutant de paraître, en personne et pour rien, dans son film. Il s'ensuivit une amitié solide, des relations professionnelles fructueuses, et, de l'avis ravi de Fernandel, la brillante carrière d'Henri Verneuil. Celui-ci, comme on sait, était entre autres devenu un des metteurs en scène favoris de Gabin, avec qui il venait de faire, à l'époque où nous sommes, *Mélodie en sous-sol*.

Mais c'est déjà deux ans avant, durant le tournage du *Président*, qu'un incident avait déclenché le processus de rapprochement des deux anciens de *Cœur de lilas* : une algarade avait mis aux prises le réalisateur et un Gabin saisi par un de ses accès de fièvre antiméridionale. Ça lui arrivait de s'emporter de la sorte contre son metteur en scène et ami, mais néanmoins marseillais. Ce jour-là, il termina sa diatribe en tournant en dérision Fernandel et les inepties qu'il acceptait de tourner.

— Vous avez tort, dit Verneuil, vous avez tort de par-

156

ler comme ça de Fernandel. Si vous saviez ce qu'il dit de vous, lui.

Gabin ne réagit pas, mais, à la fin de la journée de travail, il demanda à l'autre :

— Et qu'est-ce qu'il dit de moi, votre Fernandel ?

— Il dit, répondit Verneuil, que vous êtes le plus grand.

Il y eut un silence, puis un commentaire assez embarrassé de Gabin. Ce fut tout, mais une graine était semée ; et rien n'empêchait qu'une opération analogue fût menée dans le terrain de Fernandel...

Quelques semaines plus tard, Henri Verneuil se maria à la mairie de Neuilly, avec pour témoins ses deux acteurs favoris. Au déjeuner qui suivit les cérémonies, ils firent assaut de gentillesse et de bonne humeur. Voilà qu'ils se retrouvaient, les deux ex-partenaires de la Miss, arrivés aux approches de la soixantaine, vêtus avec une élégance recherchée, très riches et très célèbres — et s'apercevant que leurs carrières formidables ne se faisaient pas d'ombrage. Ils pouvaient s'admirer mutuellement, sans rancœur ni réserves, et c'est quelque chose dont ils avaient besoin. Les agapes se prolongèrent, ils se quittèrent à regret en se promettant de se revoir, de travailler ensemble peut-être.

Cette idée-là, c'est Gilles Grangier qui la matérialisa. On sait ce qu'il était pour Gabin. Avec Fernandel, il avait fait plusieurs films, le premier en 1945, le dernier en 63, *La Cuisine au beurre,* qui était à sa façon une sorte d'expérience. Il s'agissait de créer un nouveau couple comique avec deux acteurs masculins ayant chacun une grande audience et l'habitude de faire tout seuls de confortables recettes : Fernandel et Bourvil. En s'additionnant, ces recettes devaient en faire une beaucoup plus considérable ! Le succès ayant comblé cette espérance, il devint évident qu'il fallait poursuivre dans cette voie ; et, avec cette pensée derrière la tête, Grangier conçut le projet d'un bon petit dîner intime avec Gabin et Fernandel. On verrait ce qui en sortirait.

L'atmosphère en fut d'entrée animée et cordiale. Une des particularités de Fernandel, c'est qu'il était aussi drôle à la ville qu'à l'écran et qu'il narrait avec un art parfait aussi bien les épisodes de sa vie que les gaudrioles de fin de banquet. Avec lui, on ne s'ennuyait pas, et Gabin se retrouva dans une ambiance qu'il adorait : de la bonne bouffe, de l'amitié et de la rigolade entre hommes.

— On devrait bien faire quelque chose ensemble, tous les trois, glissa soudain Grangier. Ce serait drôle, non ?

Deux ou trois allusions de ce genre, et les deux autres parurent complètement convaincus.

— Et si on fondait une maison de production ?

— Dans le genre des Artistes associés !

— La Fernandel-Gabin Pictures, suggéra le Marseillais.

— Plutôt la Gabin-Fernandel Pictures, rétorqua Gabin.

On a vu des accords parfaits tourner en couac pour moins que ça.

— Vous devriez plutôt prendre la première syllabe de vos noms, fit Grangier pour faire une prudente diversion.

Alors les deux hommes s'exclamèrent en même temps :

— Ça ne va pas, la tête ! Moncorgé, Contandin, la première syllabe de nos noms, tu vois ce que ça donne !

Grangier éclata de rire.

— Vous me faites bien marrer ! Les gens, qui est-ce qu'ils connaissent ? Gabin ! Fernandel ! Moi, ce que je pensais, c'est Ferga... ou Gafer...

C'est finalement Gafer qui fut retenu et devint le nom de la société de production qui fut fondée peu de jours plus tard. Pour les deux acteurs, cette société c'était comme une résurrection : ils avaient un nouveau rôle à jouer dans la vie et cent occasions de se rencontrer. Certes, il y avait entre eux les différences qu'on sait, et d'autres, qui les stupéfiaient mutuellement : Fernandel ignorait le trac, Gabin était l'anxiété faite comédien ; Fernandel se montrait toujours ouvert et gai, Gabin avait érigé la grogne en système. Mais ils ressentaient l'un et l'autre le poids du vedettariat qui les contraignait à la même solitude, à la même impossibilité de mener la vie de M. Tout-le-monde — prendre un demi à la terrasse d'un café, flâner en faisant du lèche-vitrines, par exemple. Tous deux avaient également un contentieux avec les critiques qui reprochaient à intervalles réguliers à l'un de ne plus être le jeune homme des années trente, à l'autre de n'avoir été grand que dans les films de Pagnol. Ces tristesses secrètes, ils pouvaient les pressentir l'un chez l'autre, en plaisanter, s'en délivrer. C'est rassurant de se trouver une sorte d'alter ego, de pouvoir se décomplexer par la pratique de l'estime mutuelle. Pour Gabin, le Gabin misanthrope, Fernandel était un merveilleux compagnon, toujours expansif, cocasse, de bonne humeur. A son contact, lui-même se détendait et se sentait plus ouvert. Il ne craignit pas de l'affirmer au cours d'une conférence de presse :

— Moi, ma réputation de bourru est telle que même ceux qui ont de la sympathie pour moi n'osent pas me la manifester.

Comme de bien entendu, il fit mine de s'en réjouir et dit qu'il y gagnait en tranquillité, mais il ajouta avec satisfaction :

— Fernand me rend gai.

Evidemment, il avait d'autres raisons à donner de la création de la Gafer, au moins en donna-t-il. Il expliqua que les vedettes avaient parfois à pâtir de l'insuffisance des moyens mis en œuvre par les producteurs et qu'elles en tiraient une légitime inquiétude, vu la part de responsabilités qu'elles portaient sur leurs épaules pour la réussite des films.

— En étant nos propres producteurs, nous échapperons à cette situation, conclut-il.

Les choses ainsi établies, il fallait non moins évidemment que les deux acteurs fissent un film ensemble, plusieurs peut-être, pour inaugurer leur association. A la réflexion, et passés les premiers enthousiasmes, il fut patent que ce n'était pas si simple que cela. Gilles Grangier s'en rendit vite compte. Personnellement fou de music-hall, tout attendri par les débuts modestes de ses deux monstres, il essaya d'abord de mettre sur pied une comédie musicale où deux acteurs vieillissants sauvent un théâtre ambulant. Gabin ne fut pas très chaud. Beaucoup plus éloigné que son copain Fernand de son passé d'acteur d'opérette, il avait le sentiment que la confrontation ne serait pas à son avantage. Le cinéaste Jean Boyer, à qui Grangier demanda son arbitrage sur son idée, trancha dans le vif en répondant que, de toute manière, les deux hommes étaient bien trop vieux pour un musical. C'était fort possible. En fin de compte, le metteur en scène, assisté de Claude Sautet et de Pascal Jardin, imagina une histoire dont les deux héros ressembleraient à ce qu'ils étaient dans la vie, des pères de famille, un Normand et un Méridional, dont les enfants respectifs veulent se marier ensemble. Comment ils se regardent d'abord en chiens de faïence pour devenir ensuite amis grâce à l'amour qu'ils portent à leur progéniture et au fait qu'ils sont, malgré leurs différences apparentes, coulés dans un même moule de braves Français moyens, c'est ce que raconterait *L'Age ingrat*.

Le film tiré de cette historiette sentimentale sans surprise eut une critique très peu chaleureuse. Sorti à la Noël 1964, il attira certes le public, mais moins qu'on eût pu le croire. Chacun de ses protagonistes avait fait honnêtement son boulot, attentif à ne pas se laisser dévorer par l'autre, mais se faisant néanmoins à tour de rôle le faire-valoir de l'autre. S'ils n'en sortirent pas réellement amoindris, ils n'en sortirent pas non plus grandis. Pas grandis, donc pas satisfaits. Jean Gabin en tint rigueur à Grangier et ne se priva pas de le lui dire et de le lui répéter : leur amitié, on le sait, était tumultueuse, pas exempte de coups de gueule et de brouilles ; ils se réconciliaient toujours ; cinq ans passèrent pourtant avant qu'ils ne refissent un film ensemble.

L'addition bénéfique espérée ne s'était pas faite, ni sur le plan des recettes, ni sur le plan artistico-professionnel — et les deux vedettes se gardèrent bien de renouveler l'expérience — mais la Gafer continua d'exister, coproduisant les films de l'un ou de l'autre. Raymond Castans assure que ses fondateurs prenaient beaucoup de plaisir à faire les P.-D. G., à avoir un bureau, à en parler, à y donner des rendez-vous, étanchant ainsi la soif de respectabilité qui sommeille dans le cœur de tout « saltimbanque ». Leur amitié aussi demeura vivante, sincère, affectueuse, totale. Elle leur donna un regain de vitalité et radoucit certainement la vision du monde de Gabin.

En cette même année 1964, en tout cas, il affronta avec sérénité l'épilogue de son affaire avec les paysans. Du temps avait passé depuis la fameuse nuit de juillet 1962 — la justice suit son cours avec une sage lenteur — et la date du procès avait été fixée au 21 avril 1964. Le 12, la loi anticumul, promulguée dès août 62, avait reçu son décret d'application au département de l'Orne, ce qui avait fait déclarer aux dirigeants de la F.N.S.E.A.

que le Parlement et le gouvernement acquittaient ainsi une première fois les inculpés du procès à venir, puisque, désormais, un homme dans la situation de Jean Gabin ne pourrait plus acheter et grouper des terres à son gré, qu'il devrait se plier à des dispositions légales.

N'empêche que c'est du procès que la Fédération et le C.N.J.A. attendaient la grosse publicité qu'ils souhaitaient pour remettre en mémoire de l'opinion publique les problèmes de leurs ressortissants. Il ne faisait aucun doute que les journalistes se déplaceraient en grand nombre à Alençon à cause de la personnalité du plaignant, M. Jean Gabin, vedette de cinéma défendue par une vedette du barreau, Me Floriot. Ils rapporteraient forcément toutes les péripéties du procès, y compris les plaidoiries des avocats de la défense engagés par les deux associations, les douze prévenus faisant tous partie soit de l'une, soit de l'autre, étant tous fermiers ou propriétaires exploitants — et ayant reconnu leur responsabilité comme délégués lors de la manifestation. Ainsi le prétoire d'Alençon servirait-il de tribune pour les agriculteurs et leurs syndicats.

Effectivement, les jours précédant le procès, les journaux rappelèrent à leurs lecteurs le pourquoi et le comment des événements survenus près de deux ans avant et, lorsque s'ouvrit la séance, les bancs de la presse étaient remarquablement garnis. Groupés en demi-cercle devant le tribunal, c'est d'abord les prévenus qui répondirent aux questions du président, afin d'établir les faits. Jean Gabin, interrogé ensuite, confirma à quelques détails près leurs déclarations.

Alors, Me Floriot se leva, demanda la parole et dit qu'il avait à faire une importante déclaration. Il se mit à parler d'une voix calme et débonnaire et fit remarquer en premier lieu que les inculpés avaient parfaitement atteint leur but initial : se faire connaître du plus grand nombre.

— Mais ils ont réussi aussi, poursuivit-il, à faire un immense chagrin à Jean Gabin, car ce bourru du cinéma est en réalité un tendre. On a dit qu'il avait pleuré, et c'est vrai. Je ne veux rien dramatiser mais je peux dire à ces hommes qui sont de braves gens qu'ils n'ont pas mesuré la portée de leur geste, et je leur dis aussi que je suis le premier, tout comme Jean Gabin, à reconnaître la légitimité de leurs revendications. Mais c'est un problème de gouvernement et c'est au gouvernement qu'il fallait s'adresser. Où irions-nous si l'on se mettait à appliquer cette loi des gros bras ? Vous avez eu tort de vous adresser à Jean Gabin. Vous avez tout de même dans la région des gens qui ne se sont donné que la peine de naître pour trouver un millier d'hectares dans leur berceau. Mais, à ceux-là, vous n'avez rien dit.

Les journalistes écoutaient avec attention cette plaidoirie venant avant son heure, attendant que l'avocat en vînt à la déclaration annoncée. Il y arriva, non sans avoir rappelé que l'acteur avait acquis en toute bonne foi des terres libres dont certaines, comme Merlerault, attendaient vainement un acheteur depuis des années.

— Nous avons déposé une plainte pour le principe, dit-il. Mais, aujourd'hui, Merlerault est en vente depuis six mois, et ne trouve pas d'acheteur. Alors Jean Gabin m'a demandé : « Qu'est-ce qu'on fait ? » J'étais partisan de poursuivre. Mais c'est à lui, qui est un bon gars, que je vous prie de redonner la parole pour qu'il donne lui-même sa conclusion.

Alors, devant l'assistance tout oreilles, Jean Gabin dit :

— Eh bien ! je pense que tout ça a été fait par maladresse. Mais dans les circonstances actuelles, étant donné les difficultés et même la tension qui existent entre les syndicats agricoles et le gouvernement, je ne voudrais en aucun cas que mon nom — et croyez-moi, il pèse lourd sur mes épaules — vienne gêner les pourparlers en cours. Alors, ce n'est pas Jean Gabin, mais Moncorgé, qui retire purement et simplement sa plainte.

Stupeur. Mouvements divers. Le procureur réclama le silence et fit connaître que ce retrait ne signifiait pas l'arrrêt du procès ; on allait sans attendre procéder à l'audition des témoins.

Mais les bancs de la presse s'étaient vidés, ses occupants se précipitant vers les téléphones pour communiquer en hâte à leurs journaux le coup de théâtre qui venait de se produire — et, du côté des prévenus, on se sentait plutôt floué.

Après les dépositions des témoins, personnages éminents des organismes syndicaux, vinrent les plaidoiries.

162

Celle de l'avocat de la F.N.S.E.A., Mᵉ Gallot, souligna le « côté redoutable » du désistement de Jean Gabin qui se trouvait gagnant à tous coups, car si les agriculteurs étaient relaxés, on dirait que c'était grâce à sa miséricorde.

On n'eut pas à le dire, car les agriculteurs ne furent pas relaxés ; le 29 avril, jour du jugement, chacun des prévenus fut condamné à cinq cents francs d'amende, cette peine s'assortissant pour Gérard Pottier de quinze jours de prison avec sursis. Quatre ans plus tard, il quitterait l'Orne, Gérard Pottier, scié par une affaire qui lui avait valu des heures de popularité et des années d'ennuis : lettres de menaces de toute espèce, et même de mort, perte de son siège de conseiller municipal, échec aux cantonales.

En tout état de cause, Jean Gabin, même si d'aucuns taxèrent son désistement de calcul et soulignèrent ce qu'il révélait de mentalité paternaliste, eut aux yeux de l'opinion publique les honneurs de la guerre. Lui-même tira un trait sur le passé et décida d'oublier. Bien sûr, il en gardait un bleu au cœur et lorsqu'il avait affaire aux Aspres, bourg proche de la Moncorgerie, il rabattait sa casquette sur ses yeux et faisait une mine plus renfrognée que nature afin que nul n'essayât de faire ami-ami avec lui. Il pouvait être assuré cependant qu'aucun manifestant ne viendrait plus se frotter à lui ; et lorsque des inconnus poussaient le portail de sa maison, c'était par curiosité, pour voir. Les plus hardis annonçaient qu'ils venaient « visiter », comme si la Moncorgerie eût été un musée et son propriétaire la Victoire de Samothrace. A un certain point de gloire, le public considère ses vedettes comme faisant partie des biens nationaux.

Et le temps n'était pas loin où les critiques sidérés, dépassés par le phénomène Gabin, à court de mots pour le louer ou le vilipender, le considéreraient eux-mêmes comme tel. Pour s'en convaincre, il n'est que de relire ceci, écrit avec cocasserie par Michel Aubriant : *On ne discute plus Gabin ; on le considère avec respect comme un monument. Il fait partie de notre patrimoine national au même titre que le Génie de la Bastille. Il pourrait tenir un rôle de danseuse nue sans provoquer le moindre mouvement de stupeur.*

CHAPITRE XV

Jean Gabin lui-même — la suite de son histoire le prouva — se rendait bien compte de l'intérêt qu'il y avait pour lui à ne pas se scléroser, à opposer du neuf à l'image monolithique que la presse, bon gré mal gré, donnait de lui.

Ce n'était pas du tout facile. On sait qu'il s'était entouré lui-même de gens sûrs, dont il connaissait très bien les mérites et ce qu'ils pouvaient lui apporter. Le système avait ses bons côtés : il était certain avec eux qu'ils emploieraient les objectifs appropriés, l'éclairage favorable, des plans bien choisis, ne serait-ce que par la force de l'habitude. De plus, ils étaient obéissants. Ainsi sa paresse naturelle, son aversion pour les efforts inutiles, pouvaient-elles se fier à une équipe tout en sachant qu'elle se garderait bien de lui chercher noise. Car tout paresseux qu'il fût, il était rigoureux dans le travail : il était attentif à la vérité des caractères, la justesse du ton, la plausibilité des scénarios et au déroulement aisé et clair de la narration. Avant chaque film, il tenait avec ses auteurs des conférences préalables qui l'assuraient que ces exigences seraient respectées et que nul problème ne se présenterait durant le tournage — moment

164

où il se voulait uniquement concentré sur son rôle —, et le procédé en soi était excellent.

Mais, à trop se répéter avec les mêmes personnes, il donnait presque inévitablement lieu à une certaine usure, à une facilité routinière — et éventuellement à la transformation de son entourage professionnel en une équipe de « yesmen ». Lui-même, son utilisation systématique de son mauvais caractère, et sa situation exceptionnelle au box-office — situation qui l'emmurait comme sont emmurés tout homme ou toute femme qui se trouvent placés sur un sommet quelconque — favorisaient ces processus. A chacun de ses films, il y avait au moins un journaliste pour dénoncer l'abus de vieilles recettes éprouvées et prédire qu'à force de tendre les mêmes ficelles elles finiraient par se rompre.

Quoi qu'il prétendît, Jean Gabin était sensible à la critique. Mais il était sensible aussi à l'accueil du public, à son rang parmi les « gagneurs ». Depuis *Les Grandes Familles*, chacun de ses films se trouvait, que l'accueil de la presse fût bon ou mauvais, dans les dix meilleures recettes annuelles, et c'était une place dont il ne voulait pas déchoir.

Après le succès mitigé de *L'Age ingrat*, il fit un malheur avec *Le Tonnerre de Dieu*, réalisé par Denys de la Patellière. Il s'y montra un Gabin déchaîné dans un rôle de vétérinaire alcoolique, misanthrope et riche, sorte d'Alceste rural préférant les animaux aux hommes, vitupérant contre la société, mais cachant un cœur d'or sous sa rude enveloppe. Le film fit neuf mille entrées le jour de sa sortie, et le succès alla s'amplifiant. Gabin l'attribua au fait qu'il y jouait un personnage débridé, qui boit, braille et cogne — précisant qu'il s'en sentait rajeuni de dix ans — et Denys de la Patellière fit chorus en déclarant que le public voulait son Gabin, de même qu'il ne va pas écouter la Callas pour l'entendre fredonner.

Pascal Jardin avait fait les dialogues du *Tonnerre de Dieu*. Des *Grandes Famille* à *Mélodie en sous-sol*, c'est Michel Audiard qui avait fait parler Gabin dans tous ses films à l'exception d'un, mais l'acteur avait pris ensuite ses distances avec lui, comme si son secret désir de renouvellement commençait à s'exprimer par la recherche d'un langage différent. Pascal Jardin était alors devenu un de ses favoris. Le film suivant, cependant, *Rififi à Paname*, c'est Alphonse Boudard qui le dialogua, et puis le suivant encore, *Le Jardinier d'Argenteuil*, et *Le Soleil des voyous*, le film de Delannoy avec aussi Robert Stack. Pour le suivant, *Le Pacha*, Michel Audiard rentra en scène, mais c'est le réalisateur, Georges Lautner, qui était une nouveauté dans l'équipe Gabin.

Alors, commença à se préparer *Le Tatoué*, à partir d'un scénario original de Boudard. Ce dernier ignorait, lorsqu'il avait conçu l'histoire des rapports entre un clochard paumé et soiffard qui exhibe volontiers au marché aux puces de Saint-Ouen le superbe tatouage de son dos et un nouveau riche qui se pique de collectionner l'art le plus moderne et le plus insolite — il ignorait, Alphonse Boudard, qu'il mettait le bras dans un foutu engrenage. Avec *L'Age ingrat*, Gilles Grangier avait connu l'enfer de faire tourner ensemble deux supervedettes ; mais c'était un enfer bien tempéré par l'amitié qui s'était déclarée entre Fernandel et Gabin. *Le Tatoué*, ça allait être l'affrontement entre une star confirmée depuis plus de trente ans et une autre, Louis de Funès, qui en avait pris le statut depuis peu d'années.

Gabin avait pour de Funès une authentique admiration. Ensemble, ils avaient joué une scène étourdissante de *La Traversée de Paris*, et ils s'étaient retrouvés dans *Le Gentleman d'Epsom*, ce dernier film en 1962, alors que le talent de De Funès, très apprécié des connaisseurs, n'en avait pas encore fait une grande vedette. Parmi ces connaisseurs, figurait Jean Gabin, qui le qualifiait de superbe « Auguste » — c'était son mot et, dans sa bouche, un mot très élogieux.

Au moment du *Tatoué*, les choses avaient changé ; *Le Corniaud* de Gérard Oury, *Oscar* de Molinaro, avaient propulsé de Funès parmi les têtes d'affiches ; son rôle et celui de Gabin étaient — devaient être — d'égale importance ; chacun d'eux avait des prérogatives équivalentes, son équipe attitrée, et naturellement l'envie d'être le meilleur des deux.

Lorsque Alphonse Boudard eut mis au propre son scénario, il l'envoya aux deux hommes. Les réactions ne se firent pas attendre et donnèrent à peu près ceci :

— A ce que je vois, je vais servir la soupe à Gabin, dit l'un.

166

— Toi, tu as écrit pour Fufu, dit l'autre.

Et, outre le fait qu'aucun des deux ne voulait apparaître comme le simple faire-valoir de l'autre, ils avaient des idées arrêtées sur le personnage. Le fait d'être un épicier enrichi, même grâce aux supermarchés, ne plaisait pas à de Funès ; il préféra être un marchand de tableaux au goût non pas snob mais éclairé, puisque le tatouage du clochard, auquel il s'intéressait en tant qu'œuvre d'art, était un authentique Modigliani. Quant à Gabin, il voulait bien du rôle d'un fauché, oui, d'un ancien légionnaire, oui, mais pas d'un clochard ivrogne et sans classe.

Il est curieux de constater que, dans le choix de ses rôles, chaque fois que la question peut se poser, pauvreté et richesse ne semblent pas indifférentes à Gabin. Laissons de côté les policiers et les gangsters, qui sont ce qu'ils sont. Mais la plupart du temps, dans les autres films, il est riche. Riche, le peintre de *La Traversée de Paris*, l'avocat de *En cas de malheur*, le vétérinaire du *Tonnerre de Dieu* — et ne parlons pas du Noël Schoudler des *Grandes Familles*. A défaut de richesse sonnante et bien établie, d'autres héros en ont les signes extérieurs, la distinction, les belles manières, comme le baron de l'Ecluse ou le gentleman d'Epsom. Quant au clochard Archimède, ses biens étaient immatériels mais inaliénables : sa culture, sa liberté et son indépendance d'esprit. Résurgence de la peur de manquer née chez l'ouvrier Moncorgé et toujours présente chez le célèbre acteur Gabin, ou habileté des scénaristes qui savent que le grand public préfère que ses héros n'aient pas de problèmes financiers ? Pour *Le Tatoué*, il semble bien que ce soit l'acteur qui ait préféré être un personnage pauvre connu sous le nom banal de Legrain, mais en vérité authentique comte descendant d'une illustre famille périgourdine et propriétaire d'un château, certes en ruine, mais parfaitement historique.

Les deux premiers rôles ainsi campés, devait s'ensuivre une cascade de gags percutants qui n'avait plus guère à voir avec l'intrigue à tendance psychologique imaginée par Boudard. Les démêlés commencèrent donc au niveau de la construction de l'histoire, entre lui et Pascal Jardin, engagé comme coscénariste. Tant et si bien qu'à la date prévue pour le début du tournage, le script n'était pas prêt, les dialogues pas écrits. Ce n'était pas du goût de Gabin, on l'imagine, et il n'eut pas à se forcer cette fois-là pour se montrer de méchante humeur. Ses relations avec de Funès furent tendues, sans éclats spectaculaires, mais d'une froideur extrême, chacun réfrénant une nervosité visible. Un échotier relata que Gabin appelait son partenaire Fufu et le tutoyait — vieille habitude contractée plus de dix ans avant — alors que l'autre lui donnait cérémonieusement du « M. Gabin » et lui disait vous — signe que l'amitié n'était pas venue au rendez-vous de leur nouvelle rencontre.

Jean Gabin se souvint-il alors d'une déconvenue vécue autrefois, dans les couloirs d'un studio où il avait croisé Maurice Chevalier, son idole de toujours, celui dont il disait : « Chevalier en piste, c'était un soleil » ? Figé d'admiration, les yeux arrondis, il avait salué et s'était entendu répondre :

— Alors, ça va, mon petit ?

Mon petit ! A une époque où il atteignait l'apogée de sa deuxième carrière — l'époque des *Grandes Familles* — c'est une expression qu'il avait mal digérée. Peut-être de Funès digérait-il mal le Fufu ?

Une bonne poignée de main, une partie de rigolade, auraient dissipé le malentendu latent entre les deux hommes, mais l'ambiance crispée du tournage, ses contre-temps et de sérieux retards — qui furent pour eux l'occasion de réclamer de fortes indemnités — n'y furent pas propices. Aussi bien la situation était-elle de celles qui sont difficilement soutenables si l'on ne met pas d'huile dans les rouages. Toute modestie humaine mise à part, l'orgueil artistique d'une vedette, son sens de sa responsabilité personnelle dans le succès d'un film — le nom qui pèse lourd sur ses épaules, comme avait dit naguère Gabin en d'autres circonstances —, son angoisse d'être le vaincu dans un affrontement dont la presse comptera les coups avec minutie, tout cela crée une atmosphère peu respirable. Et il y a l'entourage — chacun ayant son clan — qui en subit le contrecoup et envenime la situation par enchaînement de circonstances. C'est une sorte de fatalité ; elle joua pleinement cette fois-là.

Le Tatoué sortit en septembre 1968. C'était un film

un peu boiteux, pas très fin, suite de péripéties plus ou moins amusantes plutôt que développement d'une situation. Il fit rire, mais ne fut pas un succès de critique ni une formidable affaire commerciale, étant donné l'énorme coût de la production. Ses deux protagonistes, qu'un journaliste décrivit comme « la montagne et le roquet », s'en tirèrent par un intéressant match nul, et l'amitié continua d'être absente. Plus tard, Florence Moncorgé, fille aînée de Jean, étant devenue script-girl, Louis de Funès la réclama pour un de ses films. La jeune femme eut le sentiment que c'était en partie pour pouvoir lui parler, s'expliquer, lui dire qu'il regrettait que les choses se soient ainsi passées entre son père et lui — ce qu'il fit effectivement. L'histoire, la grande et la petite, est ainsi pleine d'occasions perdues qui ne se représentent plus, car entre-temps Jean Gabin était mort...

Après cette aventure, retravailler avec ses vieux potes Grangier et Audiard dut être un bain de jouvence pour Jean Gabin. Ensemble, ils firent un bon film, *Sous le signe du taureau*, où l'acteur, dans un rôle de chercheur que refusent de soutenir ses bailleurs de fonds, se montra sobre, efficace et sensible.

C'est dans ces années-là, la fin des années soixante, que Louis Chauvet avait écrit dans *Le Figaro* : *Les petites cabales passent, l'acteur reste et, s'il ne dirige pas toujours très bien sa carrière, on continue d'attendre qui pourrait le remplacer de façon adéquate. Rien ne prouve qu'après une judicieuse autocritique, il n'arriverait pas à se remplacer lui-même.*

Nul doute que cette autocritique, Jean Gabin s'y livrait. Il était très attentif à son travail, regardait toujours les rushes, suivait le montage. Quand il avait l'occasion de revoir de ses anciens films à la télévision, il ne la manquait pas, appréciant son jeu et le film dans son ensemble avec objectivité, disant : « Ça, ça tient le coup » ou « Ça, c'est très mauvais ». Et bien qu'il eût souvent l'air, à son habitude, de minimiser l'importance de son travail — « Je fais mon job de cabot le plus proprement possible... Jouer, c'est un boulot comme un autre. Je ne m'ennuie pas, c'est tout... » —, il était bien plus empoigné, plus concerné qu'il ne l'avouait ; et il y avait sûrement, dans le fond de sa cervelle, une envie impérieuse de se réaliser encore, de démontrer au public qui l'aimait, comme à ses détracteurs, qu'il n'avait pas brûlé ses dernières cartouches, pas dit son dernier mot.

Il annonçait moins souvent qu'il allait prendre sa retraite, bien qu'il eût maintenant atteint ses soixante-cinq ans. Son nouveau leitmotiv, c'était de prétendre qu'il ne pouvait pas arrêter de travailler à cause du fisc qui lui dévorait un cachet sur trois, ce en quoi on reconnaît sa bougonnerie naturelle et sa manière roublardement modeste de déguiser sa pensée. Mais ceux qui le connaissaient bien, sa famille, ses amis et les gens avec qui il travaillait souvent, savaient qu'il ne pouvait pas se passer de faire des films. Lorsqu'il demeurait un certain temps loin des studios, il était comme un animal retenu par force loin de son terrain naturel, pas heureux, démangé par le désir de retrouver le tourmentant plaisir de donner vie à un personnage dans la recherche concentrée de sa vérité et les affres du trac.

Il tournait moins cependant. Depuis 1960, il n'avait jamais fait plus de deux films par an. Après *Sous le signe du taureau* — 1968 — il fit un Verneuil, *Le Clan des Siciliens*, avec Alain Delon et Lino Ventura. Sans problèmes. Il aimait bien tourner avec des jeunes, et il avait de l'affection pour ces deux-là. Ventura, ancien catcheur né à Parme, était déjà dans la distribution du *Grisbi*. Gabin l'avait souvent réclamé pour des rôles, lui apportant son soutien, le morigénant quand il se décourageait et se réjouissant de sa montée régulière dans la profession. Le film fit une carrière très brillante, tant française qu'internationale. C'était un « série noire » classique, bien construit, bien joué, où Gabin interprétait un rôle, familier pour lui, de vieux truand.

Trop familier peut-être, car ce fut le dernier. Dans son film suivant, qui s'appelait *La Horse* et sortit en février 1970, Jean Gabin leur ferait la guerre, aux truands, non pas comme flic, autre personnage abondant dans sa carrière, mais comme paysan, un paysan nanti, entier dans ses convictions, maître de sa famille comme de ses biens. Patriarche normand menant d'une main ferme son exploitation et les siens — deux fils, leurs femmes et leurs enfants — il est amené, à cause d'un petit-fils qui s'est mêlé à un trafic de drogue, à combattre de redoutables gangsters. Il résiste à leurs menaces, à leurs dévastations — incendie, massacre de bétail, viol de la petite-fille. Avec l'appui des hommes de sa famille, il règle ses compte avec eux, les tue, fait disparaître les corps — et résiste de même à la police, impuissante à prouver quoi que ce soit contre lui, tant il est sûr de son bon droit et solide dans son mutisme.

Dans ce rôle, Jean Gabin fit une création assez étonnante — et Dieu sait qu'il avait du mérite à étonner encore après tant de films et une aussi longue carrière. Bien sûr, il n'avait eu à épier personne pour construire Auguste Maroilleur, exploitant agricole. Des exploitants agricoles, il en connaissait depuis toujours — et même dans la pire grogne ! — et il en était un. Mais par la magie de son art, grâce aux meilleurs de ses moyens, Maroilleur était beaucoup plus qu'une silhouette juste : il exprimait l'âme profonde d'un chef de clan à l'ancienne mode et le rendait impressionnant.

C'est Pierre Granier-Deferre, un jeune cinéaste, qui avait adapté avec Pascal Jardin ce sujet tiré d'un roman de Michel Lambesc, et réalisé le film. Les œuvres de Carné et de Renoir d'avant-guerre lui avaient donné la passion du cinéma. Il était attiré par le reportage, mais sa mauvaise santé l'avait découragé de suivre cette voie. Il avait été l'assistant de Carné, de Le Chanois, de Denys de la Patellière avant de signer, à trente-cinq ans, son premier film, *Le Petit Garçon de l'ascenseur*. Dans *La Horse*, il avait gommé de son mieux l'aspect policier du livre — au risque de rendre la fin du film peu crédible — au profit de son goût de l'analyse et de sa rigueur dans les moyens d'expression, donnant ainsi à Gabin une première occasion de renouveler son personnage dramatique. Avec Pascal Jardin, encore, il allait rééditer et amplifier cet exploit dans *Le Chat*.

Le Chat, ce fut d'abord un roman de Georges Simenon écrit en 1966, à un moment où le deuxième mariage de l'écrivain se terminait par une séparation inéluctable. C'était l'histoire de l'union ratée de deux veufs dont la situation pénible se cristallisait autour d'un chat. Les adaptateurs, tous deux marqués par des déboires conjugaux et hantés par la fragilité de l'amour, eurent l'idée dramatiquement forte de faire des deux héros non pas les victimes d'un remariage qui ne réussit pas, mais celles d'une union jadis passionnée que les années ont détérioriée. Granier-Deferre, dans le privé ou dans ses interviews, ne cachait pas son faible pour les films d'amour, ajoutant qu'il était fasciné par les amours manquées, qu'il ne croyait pas que l'amour pût durer, qu'il était obsédé par la pensée des mariages ratés menés néanmoins jusqu'au bout de la vie. Dans une déclaration commune, les auteurs écrivirent : *Nous avons voulu faire* Le Chat *pour montrer qu'il n'y a rien de plus dérisoire que deux vieux chez qui l'amour est resté jeune, pour montrer que le couple est toujours un naufrage et aussi un radeau.*

Pour illustrer cette opinion désabusée, ils racontèrent donc l'histoire d'un vieux couple, les Bouin, lui, ouvrier typographe à la retraite, elle, ancienne acrobate de cirque. Vingt-cinq ans avant, ils se sont follement aimés ; maintenant, dans leur pavillon de Courbevoie entouré de tours en construction, ils vivent dans l'hostilité. Julien Bouin ne supporte pas le vieillissement de Clémence, qui lui fait mesurer son propre vieillissement ; et il traite avec une indifférence bougonne la femme qui ne ressemble plus à celle qu'il a aimée. Elle, elle aime encore et elle souffre ; lorsque son mari ramène au logis un chat à qui il donne les marques d'attention et de tendresse qu'elle souhaite désespérément pour elle-même, elle est envahie par la jalousie et tue l'animal. Julien ne lui pardonne pas ce « meurtre » ; et sa haine s'exprime par un mépris plus affiché, par un silence intolérable. Clémence, qui est cardiaque, meurt ; et c'est alors seulement que son mari réalise qu'elle était sa dernière raison de vivre, que son mariage était *aussi un radeau.* Il s'empoisonne et meurt.

C'est Simone Signoret qui était Clémence. Sur le vieillissement des femmes, des actrices, des stars, elle a écrit des pages finement analysées et d'une sincérité peu banale. Citons seulement cette phrase : *C'est miraculeux d'accéder à des rôles de plus en plus beaux, et forts, chargés de votre mémoire et de vos expériences personnelles qui ont mis des rides sur votre visage.* D'une certaine manière, elle rejoint l'opinion de Gabin lorsqu'il déclarait qu'il aimait mieux son métier dans son âge mûr qu'avant parce que, après cinquante-cinq ans, le registre des rôles est plus varié que dans la jeunesse où l'on ne vous fait tourner que des histoires d'amour.

A quoi on pouvait objecter que *Le Chat* aussi était

une histoire d'amour, mais c'en était une d'une essence particulière où les problèmes suscités par la cruauté du temps qui passe masquent ceux de l'amour. Granier-Deferre se rendit d'ailleurs compte que Gabin, comme son personnage Julien Bouin — et comme les spectateurs du *Chat* —, ne découvrit que peu à peu la forte présence de l'amour dans le scénario. Mais, à un journaliste qui l'interviewait pendant le tournage, l'acteur fit une réponse qui dénotait le plaisir doux-amer qu'il avait pris d'emblée à ce rôle, en affirmant combien il était intéressant pour un comédien de son âge de mettre dans son regard ce qu'il pense de sa propre vieillesse.

Il n'y eut pas d'anicroches pendant le tournage. Jean Gabin et Pierre Granier-Deferre s'entendaient fort bien et depuis longtemps, le metteur en scène ayant fait ses classes, à tous les degrés de l'assistanat, avec plusieurs réalisateurs favoris de Gabin ; et c'est celui-ci, attentif à la carrière du jeune homme, qui l'avait choisi pour *La Horse*. Pas de problèmes non plus avec Simone Signoret. Ils avaient de l'amitié l'un pour l'autre, s'admiraient mutuellement et éprouvaient pour leur métier le même respect et la même passion. Ils étaient de la même race, celle de ceux qui, pendant un tournage, concentrent toutes leurs forces vives sur leur rôle, détestent les week-ends qui risquent de les en distraire et mettent tout en œuvre pour être bons, bien sûr, mais pour que leurs partenaires le soient aussi : ainsi vit-on Gabin, cet homme qui se vantait volontiers de sa paresse, descendre un escalier hors-champ pour que le bruit de ses pas à lui aident Simone Signoret à mieux rendre la vérité d'une scène. Et quand Signoret affirmait : on n'entre pas dans la peau d'un personnage, *c'est votre peau qui devient l'enveloppe de quelqu'un d'autre*, il aurait pu signer cette description très juste de ce qu'est un grand comédien.

Avec de tels acteurs, *Le Chat* fut une réussite. Pas une réussite commerciale — sans doute parce que ses auteurs, trop concernés, trop pénétrés de l'intensité de leur sujet, avaient déjà dans leurs déclarations d'intention fait une certaine contre-publicité à leur œuvre. Granier-Deferre n'avait-il pas dit lui-même : « *C'est une histoire d'amour manqué. Tellement manqué que cela risque d'effrayer tous ceux qui s'aiment aujourd'hui* » ? Dans *Elle*, un journaliste consacrant un long article au *Chat* et aux implications de son sujet écrivit : *On a rarement été aussi loin dans l'atroce.* En bref, ce n'était pas un film de divertissement, un film où des foules considérables vont chercher une distraction à leurs tracas ; mais tous ses protagonistes — auteurs et vedettes — s'en sortirent grandis. Pour Jean Gabin, il devint et demeura l'un de ses préférés ; et il lui redonna visiblement un nouvel élan.

Tournant son film suivant avec Michel Audiard devenu entre-temps réalisateur, il accorda une interview à Robert Chazal.

Le film était *Le drapeau noir flotte sur la marmite,* titre qui n'était pas celui du roman de Fallet dont il était tiré, mais était une sorte de clin d'œil entre deux vieux copains : l'acteur et le réalisateur. Pour Gabin, l'expression signifiait que les fonds sont bas, que c'est le temps des vaches maigres. Quand il évoquait son passé, parlant des premières années qui avaient suivi la guerre alors qu'il redoutait de voir se terminer sa carrière, il disait par exemple :

— En ce temps-là, le drapeau noir flottait sur la marmite.

L'histoire était celle d'un mythomane, ex-cuisinier sur des bateaux, devenu épicier à Saint-Malo, qui s'est créé une légende — et une réputation — de coureur des mers aux multiples aventures. Amené à cause de ses hâbleries à construire un bateau, il échoue et ne bâtit qu'un méchant rafiot qui fait naufrage à sa première sortie. Il y avait dans ce film de la gouaille, de la nostalgie, une poésie créée par les rapports du vieux menteur avec un enfant fasciné par ses récits.

Pour en revenir à Robert Chazal et à ses questions, Jean Gabin lui décrivit son rôle comme celui d'un rêveur. Il ajouta que lui n'était pas un rêveur mais un *songeur,* c'est-à-dire quelqu'un qui ne rêvasse pas, mais fait sans cesse des tas de projets.

— Et quand on fait des projets, on reste jeune, dit-il. Par exemple, quand on élève des chevaux, on espère toujours qu'on est en train d'élever le futur gagnant de l'*Arc de Triomphe.*

Il ne parla pas beaucoup de cinéma, sauf qu'il fit l'éloge d'Audiard et de ses dons, lui reprochant seulement de ne pas s'intéresser assez à la technique et aux

174

appareils. Mais on ne peut douter que sa description du songeur, de ses projets et de ses espérances s'appliquait aussi à sa carrière toujours rebondissante et peut-être déjà à son futur rôle de *L'Affaire Dominici*.

CHAPITRE XVI

Le rôle de Gaston Dominici, Jean Gabin hésita à l'accepter pendant deux ou trois ans, malgré l'insistance de Claude Bernard-Aubert, metteur en scène frisant la quarantaine qui avait fait en 1956 un premier film, *Patrouille de choc*, dont les héros étaient les soldats français combattant en Indochine. Bernard-Aubert recherchait les sujets délicats, générateurs de polémiques. Deux autres de ses films avaient eu pour thème le racisme et la situation difficile des couples bi-raciaux. L'affaire Dominici l'intéressait parce que, vingt ans après les faits, elle était toujours mystérieuse.

Les faits, c'était l'assassinat, en juillet 1952, d'une famille de touristes anglais — sir Jack Drumond, sa femme et sa fille — qui campaient dans la nature à proximité du village provençal de Lurs, et plus précisément de la ferme des Dominici, la Grande Terre. Le triple crime de Lurs occupa longtemps les colonnes des journaux. Au premier plan, il y avait les Dominici, le vieux Gaston et son fils Gustave, qui vivaient à la ferme avec leurs épouses, et un autre fils, Clovis. Un jour, les fils dénoncèrent leur père comme coupable, et le père avoua. Il se rétracta ensuite, mais il passa néanmoins en cour d'assises à Digne et fut condamné à mort, le 24 novembre 1954. Le président Coty commua cette peine en détention à perpétuité. En 1960, Gaston Dominici fut gracié par le général de Gaulle et sortit de prison.

L'affaire était loin d'être limpide. Beaucoup d'indices avaient été chamboulés avant l'arrivée de la police. Les Dominici opposaient aux enquêteurs leur mentalité de clan, leur ruse paysanne, leur mutisme — à la sortie de *La Horse*, certains critiques avaient rappelé le souvenir de cette famille à propos des Maroilleur normands, et la comparaison n'était pas sans fondement.

Des journalistes menaient leur propre enquête et, parmi eux, des Anglais émirent l'hypothèse que le crime était en rapport avec des faits survenus pendant la guerre, Lurs ayant été le siège de trois réseaux de résistance dont l'entente n'était pas parfaite, et étant bien connu des Britanniques qui y avaient parachuté des hommes, des armes et des munitions, quelqu'un pouvait avoir eu des motifs de supprimer, pour des raisons secrètes mais vieilles de plus de sept ans, un sir Drumond qui n'était pas venu là par hasard et risquait de se montrer trop curieux. Jean Laborde, au contraire, chroniqueur judiciaire et auteur de romans dont l'un avait servi d'argument au *Pacha*, était d'avis qu'il s'agissait d'une rencontre fortuite entre des campeurs « sauvages » et des paysans mal embouchés, et d'une altercation qui avait mal tourné. Il écrivit un livre où il développa ce point de vue.

Jean Giono en écrivit un autre où il s'attacha à l'explication des caractères des personnages concernés. Vivant en Haute-Provence, il les connaissait bien et il démonta le mécanisme des rapports difficiles, sinon impossibles, entre des policiers de la ville et un vieux berger n'ayant pour arme qu'une roublardise naturelle assez retorse et un vocabulaire qui ne dépassait pas cinquante mots. Il conclut : *Je ne dis pas que Gaston Daminici n'est pas coupable, je dis qu'on ne m'a pas prouvé qu'il l'était.*

C'est après la lecture du livre de Giono que Jean Gabin accepta enfin de tourner le rôle. L'insistance de Claude Bernard-Aubert l'avait incité à prendre connaissance de tout ce qui avait paru sur l'affaire de Lurs, mais c'est grâce à Giono qu'il perçut combien Gaston était un personnage fascinant pour un acteur : c'était un homme rude, égrillard, menteur, drôle et plein de vitalité, un roc et une anguille ; disposant d'un tout petit répertoire de mots, il parlait néanmoins comme Virgile : « Le soir de mes aveux, je n'étais pas au monde » ; et il avait vécu le drame d'être accusé par ses propres fils.

Ce dernier trait provoqua l'émotion de Gabin. Dans son for intérieur, il pensait que le vieux n'était pas coupable. En tout état de cause, dès qu'il eut décidé de lui prêter ses traits, il le fit avec chaleur et les extraordinaires moyens qui le caractérisaient. On raconta qu'il avait fait refaire trois fois le scénario et s'était élevé contre l'emploi du flash-back. Personnellement, il fit une création si saisissante que, déjà pendant le tournage, les curieux qui venaient voir filmer les extérieurs disaient :

— On dirait que le Gaston est revenu.

Pour ce qui est de la mentalité de son personnage, on lui fit reproche de l'avoir fait moins canaille que son modèle, et aussi moins « paumé », moins dépassé par les événements que ne l'avait été le véritable accusé. Ce fut l'opinion, par exemple, de Hugues Véhenne, un journaliste du *Soir* de Bruxelles, qui avait suivi le procès de 1954. Ce fut aussi celle de Chauvet, du *Figaro*, qui déclara que l'acteur prêtait à Dominici une logique, un parler franc, un sens de l'honneur et de la dignité qui ne correspondaient pas à ses souvenirs du héros réel. Mais, artistiquement parlant, c'étaient là des broutilles. La prestation de Gabin, même si on lui fit grief d'avoir un peu gauchi son personnage, fut saluée comme une grande performance. Le critique d'un autre quotidien belge, *La Dernière Heure*, n'hésita pas à écrire : *Une magnifique création : la meilleure sans doute que nous ait donnée Gabin depuis la guerre.*

Une création, de toute façon, qui dénotait, comme *Un singe en hiver*, comme *La Horse*, comme *Le Chat*, que Jean Gabin n'était pas mû seulement par des motifs financiers, mais aussi par un désir de se renouveler, de se surpasser, de surprendre, même s'il s'étonnait — ou feignait de s'étonner — parce que les recettes de ces films étaient moindres que celles de *Mélodie en sous-sol*, ou du *Tonnerre de Dieu*. Approchant de la septantaine,

178

ses enfants pratiquement élevés, et possesseur d'une fortune qui peut-être, à la longue, l'avait débarrassé de sa peur de manquer, on le sentait plus attentif au choix de ses sujets ; il avait toujours été attentif à la qualité de ses films, désireux de donner au public un produit aussi bon que possible, mais, maintenant, le thème l'intéressait aussi, et ses années de méditation sur la confrontation du vieux Gaston avec la justice semblaient lui avoir donné une préoccupation de cette institution majeure, car, dans les deux films qui allaient suivre *L'Affaire Dominici*, il serait encore question de cour d'assises et de peine de mort.

Dans le premier, *Deux hommes dans la ville*, imaginé, dialogué et réalisé par José Giovanni, il retrouva son jeune et brillant ami Alain Delon, dans un rôle de garçon qui a fait des bêtises, a purgé une peine de prison, puis a été remis dans le droit chemin par un éducateur, Germain Caseneuve, avant de devenir un meurtrier par la faute d'un policier persuadé qu'un ex-taulard retombe inévitablement dans ses erreurs, et d'anciens amis qui sont, eux, toujours à l'affût de nouveaux mauvais coups. Jean Gabin faisait Germain Caseneuve, dont le dévouement sans limites ne parvenait pas à faire tomber les préventions du policier, ni à sauver la tête de son protégé après que celui-ci, affolé, eût abattu son persécuteur.

Ce film, produit par Alain Delon, dont c'était le quarante-quatrième comme acteur et le septième comme producteur, passa auprès des uns pour un émouvant plaidoyer contre la peine de mort et auprès des autres pour un mélo sans portée. *Si on est contre la peine de mort, mieux vaut voter à gauche que d'aller voir les films de Cayatte, de Turlututu ou de Giovanni*, put-on lire dans *Le Nouvel Observateur*.

Cela n'empêcha pas Gabin d'enchaîner avec un autre film, de Cayatte justement, où la peine de mort était de nouveau en question.

Depuis 1950, André Cayatte, ancien avocat, consacrait son talent et son renom à des films à thèse, la plupart sur des thèmes de justice. Il voyait en elle le dernier pilier de la société, depuis que la morale, la religion et la philosophie s'étaient effondrées. Encore fallait-il que la justice fût claire et évidente, et c'est pourquoi, depuis près d'un quart de siècle, il s'attaquait à ses faiblesses et à ses obscurités. Il n'avait jamais fait tourner Gabin, mais il le connaissait depuis longtemps — en 1939, il avait participé au scénario de *Remorques*. Depuis, il rêvait de l'avoir pour interprète.

Verdict, avec Sophia Loren comme vedette féminine, était un film dramatique destiné à prouver la fragilité néfaste de l'article 353 du Code pénal qui engage les jurés de cour d'assises à tenir compte, lorsque les preuves de la culpabilité de la personne jugée sont absentes, de leur « intime conviction ». L'intime conviction des jurés, c'est justement elle qui avait amené ceux de Digne à voter la mort de Gaston Dominici. Car il avait été condamné sans preuves formelles, le patriarche de la Grande Terre, et l'on sait combien Gabin en avait été impressionné. Dans *Verdict*, Cayatte s'insurgeait contre la notion de l'intime conviction, démontrant par une intrigue astucieuse que celle-ci peut être manipulée par le président de la cour.

Ce président, homme intègre et dur envers les truands, c'était Jean Gabin. En face de lui, Sophia Loren, en veuve de gangster dont le fils adoré est accusé d'avoir violé et tué une jeune fille. Le jeune homme n'est pas coupable ; contre lui, il n'y a pas de preuves irréfutables, mais un témoignage accablant de son voisin de palier. Le président est enclin à croire ce dernier et mène son procès dans le sens de cette conviction. Alors la mère emploie les grands moyens : elle fait enlever l'épouse du magistrat et exerce un chantage sur lui. La pauvre otage est diabétique et ne peut survivre sans insuline. Pour sauver sa femme, le président, au cours des audiences suivantes, retourne donc l'intime conviction des jurés — qui acquittent le prévenu. Le film se terminait par un règlement de comptes inattendu entre la mère et le fils, et par deux suicides.

Il est certain que, outre le plaisir de tourner avec Sophia Loren et Cayatte, Gabin n'était pas indifférent à la thèse développée. Il déclara néanmoins — et l'on trouve ici sa description de lui-même en tant qu'acteur — qu'il ne connaissait rien à la magistrature et aux réactions des magistrats. Il s'était comme d'habitude laissé porter par le scénario et le dialogue, jouant la situation sans chercher à y réfléchir. C'était le seul moyen de ne pas truquer, d'être véridique. Bien sûr,

Cayatte tenait surtout à défendre sa thèse et à démontrer l'absurdité de certains mécanismes judiciaires. Mais lui, Gabin, croyait que l'intérêt résidait aussi dans les particularités des personnages, notamment dans la séduction un peu trouble exercée par une femme comme Sophia Loren sur le vieux magistrat monolithique et provincial qu'il incarnait. De fait, les moments les plus impressionnants du film étaient leurs scènes communes.

Pendant qu'il tournait *Verdict*, Jean Gabin annonça une fois de plus que c'était son dernier film et qu'il prenait sa retraite. A soixante-dix ans ou presque, travailler le fatiguait davantage que quand il était plus jeune. Et ceteri, et cetera, tout ce qu'il disait en pareille occasion. Ses enfants commençaient à voler de leurs propres ailes : Florence était script-girl ; Valérie, qui ambitionnait de devenir réalisatrice, était deuxième assistante dans *Verdict* ; quant à Mathias, il s'occupait de la Moncorgerie.

Souvent, Gabin prétendait que son vrai métier était : père de famille. Ce n'était pas tout à fait inexact. En dehors de ses activités cinématographiques, il était avant tout un père. La vie mondaine le laissait de glace. Après le boulot, il rentrait chez lui et chaussait ses pantoufles. Il voulait le bonheur de ses enfants, avait ses idées sur leur éducation et, lorsqu'ils étaient petits, s'inquiétait presque déraisonnablement de leurs bobos. Sur un plateau, seule leur pensée parvenait à le distraire de son travail : lui qui se tenait ordinairement dans un coin, les tripes nouées et les oreilles fermées à tout ce qui pouvait le déconcentrer de son rôle, téléphonait anxieusement chez lui plusieurs fois lorsqu'un de ses gosses avait eu le matin une colique et un grattouillis dans la gorge. Son amour paternel le rendait même casse-pieds à cause de ses perpétuelles inquiétudes, de ses soucis de bonne éducation et de sa possessivité. Il s'émouvait du moindre retard, mais aussi s'en encolérait. Ses enfants n'étaient pas gâtés, pas couverts de cadeaux, d'argent de poche ; il voulait que ses filles eussent une apparence sérieuse et poussait des gueulantes pour un short trop court, une minijupe trop audacieuse.

Un drôle de pistolet, le père Gabin. Tout à fait capable de quitter Paris et de s'installer pour de bon à Deauville avec sa nichée, parce que quelqu'un ou quelque chose l'avait persuadé que l'air de la ville est pollué et néfaste pour le développement des enfants. C'est une des choses qu'il fit en effet. Mais c'est que ce bourgeois en pantoufles — façon très incomplète de le décrire — était aussi un fameux bohème. Son goût de l'organisation, qui était grand, se traduisait par une non moins grande bougeotte. Il aimait bien déménager, emménager, améliorer un logis — mais, quand l'installation était terminée, il en avait marre. Quand la dernière main était mise au décor, quand le dernier rideau était posé, il avait envie d'autre chose. A Deauville, il eut successivement trois maisons.

Il se déprit de la dernière et de l'air pur du Calvados le jour où il se rendit compte que l'endroit pouvait être pernicieux pour de jeunes demoiselles à qui la célèbre station balnéaire donnait trop d'occasions d'échapper à sa surveillance et — qui sait ! — de se dévergonder.

Ce jour-là, c'était en 1965, il eut une nouvelle idée : il embarqua son monde et l'installa au Trianon-Palace à Versailles. Au bout de six mois, c'est Dominique qui trouva que ses devoirs de maîtresse de maison — faire les menus et les courses, s'occuper des rideaux et tutti quanti — lui manquaient, et la famille revint à Paris (ou à Neuilly, car Neuilly et le XVIᵉ arrondissement avaient alternativement les préférences du *pater familias*). Par la suite, elle regretta la facile vie de palace, Dominique, mais elle n'en fit pas une affaire, sûre que son époux aurait eu tôt ou tard sa propre envie de changer. Elle avait un heureux caractère, elle aimait son mari, elle aimait les enfants. Elle était passée d'une vie brillante de mannequin à celle, beaucoup plus effacée, de mère de famille.

Peut-être ne s'y attendait-elle pas lorsque Jean lui faisait la cour, lui envoyait chaque jour chez Lanvin des brassées de roses — et ses petites copines en ouvraient des yeux grands comme des soucoupes, ne se privant pas de prévoir la fin du grand amour s'il arrivait que le fleuriste eût un quart d'heure de retard, mais les roses arrivaient chaque fois et elles pouvaient toujours bisquer, les copines...

Au début de son mariage, elle avait souffert du peu de goût de son époux pour les endroits à la mode ; mais elle s'était vite adaptée et elle n'était pas hostile à sa

182

conception de la famille. Pour lui, le père était le père, le chef du clan qui assume les besoins des siens mais qui ordonne : il ne veut pas que les enfants parlent à table et exige qu'ils soient couchés lorsqu'il rentre fatigué ; la mère, c'était la gardienne du foyer, celle qui aménage les rigueurs paternelles, entretient la gaieté des enfants, réagit par des moqueries lorsque l'amour du père s'exprime abusivement, calme l'anxiété et l'énervement d'un mari qui fait un métier exténuant et a beaucoup, beaucoup de sensibilité.

Car la sensibilité était la clé de l'homme, comme elle l'était de l'acteur. Il l'avait entourée des murailles de ses célèbres colères et de formidables accès de mauvaise foi — et certes, pris à son propre jeu, il n'était pas toujours facile à vivre. Mais ceux qui le connaissaient bien, qui savaient que ses grognes étaient passagères, qui savaient fermer les oreilles jusqu'à ce qu'elles cessent, ceux-là avaient le privilège de connaître un homme délicieux qui aimait rire, parlait savoureusement et avait une personnalité authentique. Comme le dit un jour Denys de la Patellière, il était le moins standardisé des hommes. Sortant peu, lisant peu, il n'était pas sous influence. Ses idées lui appartenaient ; il se les était forgées tout seul.

Il avait les moyens financiers d'un riche bourgeois, mais il n'avait adopté ni la mentalité ni les conventions bourgeoises. Il se ressentait comme un prolétaire gagnant exceptionnellement bien sa vie, mais prolétaire tout de même, par sa conception du monde et par la notion du boulot qu'il faut faire et bien faire. Il était athée, en toute simplicité, mais respectait les lois morales. Il se faisait peu d'illusions sur les hommes politiques ; il pensait qu'ils étaient des comédiens dont les rôles risquent de faire éclater le monde. En fait, il parlait peu de politique, car il la méprisait. D'après son ami Audiard, c'est parce que certains leaders avaient semé la perturbation dans son esprit et qu'il était un homme de gauche à qui les politiciens de gauche avaient fini par donner des idées de droite.

Il y avait quantité de choses qu'il n'aimait pas, les voyages, l'Amérique, la cuisine méridionale et les Méridionaux eux-mêmes — sauf ceux qui étaient parmi ses meilleurs amis. Doué d'un sens inné de l'élégance et possesseur de vêtements admirablement choisis et coupés, il s'habillait de préférence et avec délices de vieilles frusques et de souliers brisés à la limite de l'usure.

Le mot gentleman-farmer lui faisait horreur, appliqué à sa personne. Il était un agriculteur-éleveur qui avait une passion pour la Moncorgerie et ses animaux, passion renforcée par le fait que lorsqu'il y était en famille — cela devint sensible à ses filles lorsqu'il se déprit subitement de Deauville — il avait les siens sous son regard, sa couvée préservée des tentations et adonnée comme lui aux vigoureux plaisirs dispensés par la nature.

La Moncorgerie, c'est donc l'endroit où il voulait vivre une retraite paisible mais active. Son cheptel bovin était magnifique, plusieurs centaines de têtes. Quant aux chevaux, il en possédait toujours, mais il avait changé son fusil d'épaule en 1970, en vendant toute son écurie de demi-sang, d'un seul coup, y compris Hortensia VII et Quartier-Maître, et les poulinières filles d'Hortensia, les coureurs, les foals, jeunes poulains de l'année, en tout quarante-quatre sujets — pour les remplacer par des galopeurs.

Il s'en expliqua alors en disant qu'il avait trop de chevaux, parce que les trotteurs ne trouvaient pas d'acheteurs, ayant peu de valeur sur le marché international. Quand on avait élevé un poulain, on ne pouvait le vendre, il fallait le faire courir, et lui sa vocation n'était pas d'être propriétaire mais éleveur. Puisqu'il y avait un marché solide pour les pur-sang, il en avait acheté treize en s'aidant des conseils de Peter Head qui en élèverait une partie, le reste allant chez Jack Cunnington. Parmi ces treize, il y avait des poulinières qui furent envoyées à des étalons de bonne race, des pouliches et des yearlings, de quoi repartir vers de nouveaux « songes », se sentir jeune et dans le coup.

Avant de rompre avec le monde du spectacle, il fit encore une chose, ma foi assez inattendue. Au mois de mars 1974, alors qu'il tournait encore *Verdict*, un éditeur de musique, Denis Bourgeois, lui téléphona :

— Que penseriez-vous, monsieur Gabin, de l'idée de faire un disque ?

— Un disque, Bon Dieu ! Il y a quarante ans que je n'ai plus chanté !

— Vous n'auriez pas à chanter. Il s'agirait de dire un

texte sur une musique. Vous vous souvenez de *I love you*, d'Anthony Quinn, il y a quelques années ? Ce serait quelque chose de ce genre.

— Faudrait que je voie quel texte et quelle musique ! Envoyez-les-moi. Je verrai.

La musique était faite par Philip Green, mais pas les paroles. Denis Bourgeois les demanda à Jean-Loup Dabadie qui, bien qu'il fût scénariste autant que parolier, n'avait jamais rencontré Gabin. Il avait néanmoins son idée sur le personnage. Il pensa qu'un tel homme, et de son âge, devait regarder la vie et l'amour avec une philosophie doucement ironique et il écrivit un poème qui s'appelait *Maintenant, je sais* et qui racontait que, passé un certain âge, on sait qu'on ne sait pas grand-chose...

Dabadie avait le trac en faisant entendre son œuvre à l'acteur, mais, quand ce fut fini, il constata avec soulagement qu'il l'avait ému.

— C'est bien, votre truc, dit Gabin. Mais vous devriez pouvoir me changer quelques petites choses, et ce serait encore meilleur.

La précision des changements qu'il souhaitait et le sérieux qu'il apporta à s'en expliquer épatèrent Dabadie. Il avait tout de suite pigé qu'il fallait élargir la réflexion de l'homme qui a tout vécu, tout cru savoir, et avoue humblement son erreur. Il n'y a pas que l'amour dans la vie, il fallait aussi parler *de l'argent, des amis et des roses, et du bruit et de la couleur des choses...*

Il enregistra le 21 mai, après s'être exercé près d'un mois, chez lui, avec le play-back. L'autre face du disque était une plaisante fable parodique également écrite par Jean-Loup Dabadie, mais c'est *Je sais* qui ramassa tout le succès. Et quel succès !

Ses premiers auditeurs, les enfants Moncorgé, l'avaient trouvé « terrible », et ce jugement fut confirmé par les masses, non seulement par les sexagénaires nostalgiques, mais par les jeunes, qui dansèrent tout l'été sur la tendre musique de Green et le texte désabusé et ensoleillé de Dabadie. Aux hit-parades, il ne cessait de gagner des places et il finit par se retrouver à côté des champions, comme Johnny Halliday ou les Pink Floyd.

Il fut très content, Jean Gabin, d'abord parce qu'il était comme tout le monde — et même un peu plus que tout le monde — anxieux de réussir ce qu'il entreprenait et très heureux d'y parvenir. Et puis, il découvrit que ses enfants étaient fiers de lui. La gloire cinématographique de leur père, ils en avaient l'habitude, elle leur paraissait toute naturelle, mais la promotion du hit-parade, ça leur en boucha un coin et ça rehaussa leur estime.

CHAPITRE XVII

Ça ne lui était pas indifférent, à Gabin, l'estime de ses mômes. Les enfants, c'est... c'est drôle... Hier, ils étaient des bambins mignons et obéissants, et voilà que, tout d'un coup, ils sont devenus des adultes, de jeunes adultes qui disent : « Je sais, je sais ! » — c'est aussi pour ça que la chanson de Dabadie avait sonné si juste à ses oreilles. Ils sont là qui vous regardent du haut de leur savoir tout neuf de la vie. Et ils vous font des reproches.

Les siens, ses filles en tout cas, lui reprochaient par exemple de ne pas aller au cinéma. Elles savaient bien pourquoi il le faisait : parce qu'il avait horreur d'entrer dans une salle, d'être reconnu, de devenir une attraction et une machine à donner des autographes. Mais n'importe ! elles disaient qu'à cause de cette manie il passait à côté du nouveau cinéma américain et que ce n'était pas supportable. Valérie le lui avait même reproché devant une journaliste qui l'interviewait pendant le tournage de *Verdict*.

— Le cas de mon père est un cas de bornitude, avait-elle affirmé.

Bornitude ! Ah ! ces jeunes, avec leur jargon...

Elle avait parfois une vraie tête de bourrique, Valérie.

Enfant, elle ne se gênait pas pour chasser son père de sa chambre s'il venait à tout bout de champ s'enquérir de sa santé lorsqu'elle avait prétexté un quelconque malaise pour s'isoler. Au fond, elle était comme lui : elle avait un cœur d'or vite blessé qu'elle dissimulait sous un langage abrupt et rétif. Difficile d'approche, elle ne se livrait pas facilement et il fallait la bien connaître pour découvrir sa vraie nature et l'aimer.

Mathias aussi aimait les films américains, avec une préférence pour les westerns. Il disait qu'il n'avait pas besoin de voir les films de son père, puisqu'il l'avait en vrai à la maison. Il était évident qu'il ferait son métier du violon d'Ingres de son père, dans l'agriculture ou l'élevage. En 1971, il avait séjourné en Angleterre, pour se perfectionner dans la langue et faire un stage d'entraîneur. Tous les enfants Moncorgé aimaient les chevaux et l'équitation. De toute façon, le jeune homme avait le temps de choisir sa voie précise, tout en s'occupant à la Moncorgerie : il avait à accomplir son service militaire ; il voulait le faire dans la marine, comme son père.

Florence aussi adorait les chevaux, mais elle adorait également son métier de script-girl. Elle était blonde et ravissante, avec un visage où se mêlaient harmonieusement les traits de son père, le sourire et les expressions de sa mère. Plus ouverte et plus souple que sa jeune sœur, elle avait néanmoins du caractère, sachant ce qu'elle voulait et à quoi elle tenait dans la vie, et décidée à l'obtenir.

En 1975, Jean Gabin, fidèle à ses déclarations sur sa retraite, ne tourna pas un seul film. Naturellement, ça ne faisait pas l'affaire des producteurs, des scénaristes et des réalisateurs qui, tout en l'admirant pour son immense talent, regrettaient aussi sa disparition des écrans en tant que « valeur sûre ». Ils continuaient de lui présenter des sujets, de faire des projets où il avait sa place. Ainsi le metteur en scène Michel Verny avait-il annoncé à la presse en juillet que Gabin jouerait le rôle d'un caïd lyonnais dans un film dont il écrivait le scénario avec Danièle Thompson — mais cette information n'avait pas eu de suite.

Pierre Granier-Deferre nourrissait l'espoir de retravailler avec sa vedette de *La Horse*, il avait envie de lui faire jouer *Le Veuf*, d'après un roman de Georges Simenon, mais il avait de lui-même remis ce projet à plus tard, car il ne voulait pas paraître se spécialiser dans l'adaptation de Simenon, ayant tourné, après *Le Chat*, *La Veuve Couderc*, du même romancier. Un jour, « plus tard » deviendrait « trop tard », il en garderait de la nostalgie.

Marcel Carné aussi méditait quelque chose. Depuis *L'Air de Paris*, il était en froid avec Gabin à qui il reprochait de n'avoir pas facilité la tâche à Roland Lesaffre. Vingt ans avaient passé, pendant lesquels le réalisateur du *Quai des brumes* avait mené une existence professionnelle semée de succès — dont celui, très grand, des *Tricheurs* —, de projets avortés, de difficultés financières et d'avanies de toute espèce, notamment de la part des tenants de la nouvelle vague et des critiques qui, à chaque sortie de ses films, brodaient volontiers sur le thème « ce Carné-ci est-il digne de Carné ? » ou cet autre « Carné existe-t-il sans Prévert ? ». Il avait eu la joie néanmoins de recevoir au Festival de Venise de 1970 un hommage exceptionnel réservé à trois grands du cinéma mondial : John Ford, Ingmar Bergman et lui-même. Il se sentait davantage reconnu et admiré à l'étranger que dans son propre pays. Mais lorsque Valéry Giscard d'Estaing, récemment élu président de la République, eut l'idée d'organiser à l'Elysée des déjeuners en l'honneur des Arts, c'est lui qui fut choisi comme homme-symbole du cinéma français.

Le président lui avait laissé la libre désignation des convives, choisis parmi les grands interprètes de ses films. La plupart de ceux qu'il contacta acceptèrent l'invitation. Arletty et Simone Signoret refusèrent, pour des raisons assez pareilles, Arletty les exprimant avec drôlerie en disant que, vierge jusque-là de toute présidence, elle entendait le demeurer. Il était à craindre que Jean Gabin fît une réponse du même style, mais il donna son accord... pour se décommander au dernier moment, car une équipe était venue spécialement de Londres ce jour-là pour enregistrer une version anglaise de *Je sais*.

Ainsi donc Jean Gabin n'était-il pas allé à l'Elysée, mais Carné avait eu l'occasion d'échanger quelques coups de téléphone avec lui et de renouer leurs relations. Au cours d'une de ces conversations, raconte Carné, Gabin avait dit :

— C'est bien gentil, les anciens films, mais si on en faisait un autre ?

De là naquit l'idée de *La Puissance et l'Argent*. Avec Didier Decoin, qui avait déjà écrit avec lui le scénario de son film précédent, *La Merveilleuse Visite*, Marcel Carné commença à rédiger l'histoire, celle de la lutte entre un grand patron de journal, symbole d'une presse libre, responsable et représentative de l'opinion publique, et un homme d'affaires fabriquant un produit qui risque d'être dangereux pour ses concitoyens. Gabin devait être l'homme de presse — la puissance — et Victor Lanoux l'homme d'affaires — l'argent. En principe, le film serait tourné en avril 1976.

Car entre-temps — et qui, le connaissant bien, aurait pu imaginer le contraire ? — Jean Gabin était revenu au cinéma. Contraint et forcé, du moins le prétendit-il et le fit-il savoir sans barguigner au gouvernement.

Cela se passa le 15 novembre 1975. Ce jour-là, Yves Mourousi fit son journal télévisé à bord du porte-hélicoptères *Jeanne d'Arc*. Le navire allait appareiller pour une croisière de neuf mois avec, à son bord, les jeunes recrues effectuant leur service dans la marine, et Yvon Bourges, ministre de la Défense, faisait à cette occasion une tournée d'inspection de la base de Brest. Le ministre, cependant, dut partager la vedette de l'émission avec quelqu'un que les Français connaissaient depuis beaucoup plus longtemps et bien mieux que lui sous son pseudonyme de Jean Gabin : le second maître Moncorgé, Mourousi l'ayant invité parce que Mathias faisait partie des jeunes recrues en question.

La télé, il aimait beaucoup, Gabin, mais comme spectateur. Pour ce qui est de s'y faire voir, c'était une autre histoire. Les interviews sur le petit écran, très peu pour lui. En de rares circonstances, cédant à beaucoup d'affectueuses instances, il avait participé à des émissions : la « Joie de vivre » d'Ingrid Bergman, par exemple, où il avait chanté une chanson, et celle de Jean Delannoy. Cette fois, s'il avait accepté l'invite de Mourousi, c'était pour l'occasion de dire au revoir à son fils et par égard pour la marine. Il était heureux de se retremper dans une ambiance qui lui était chère. Il le dit. Au amiraux rassemblés, il déclara d'emblée :

190

— Je ne suis pas là comme Jean Gabin, mais comme Jean Moncorgé, second maître.

Au micro d'Yves Mourousi, il confia :

— J'adore la marine, c'est une arme magnifique. Comme on dépend les uns des autres, chacun fait bien son boulot.

Plus tard, Mathias ayant regagné son poste d'équipage, il fut reçu par l'état-major, ministre compris, et c'est à celui-ci qu'il déclara tout de go :

— Vous direz à votre collègue Fourcade — c'était le ministre des Finances d'alors — qu'il me prend vraiment trop d'oseille. A mon âge, il me faut aller au charbon, et vous conviendrez que c'est tout de même plus dur qu'il y a vingt ans !

Voilà, il l'avait exprimée, son antienne favorite, devant de hautes autorités, et il devait être très content de l'avoir fait, car il pensait *aussi* ce qu'il avait dit. Mais, en vérité, s'il retournait au charbon, s'il reprenait le chemin des studios, c'est qu'il ne pouvait pas vivre loin d'eux. Quand on le lui disait, il se mettait en colère, mais c'était visible comme le nez au milieu du visage, qu'il crevait d'envie de remettre ça. Il y avait quarante-cinq ans qu'il faisait du cinéma, plus de cinquante qu'il était dans le spectacle. Il avait pris le virus, c'était fatal — et quand on y repense, c'est peut-être parce qu'il savait que ça arriverait, parce qu'il pressentait que le métier le prendrait à la gorge et l'obligerait à lutter contre sa paresse naturelle, qu'il avait mis tant de temps à céder aux pressions de son père.

Donc, dans les mêmes jours où l'on montrait le matelot Mathias s'embarquer pour une longue croisière sous les yeux attendris de son père, on annonça que Jean Gabin allait faire sa rentrée dans *L'Année sainte*, un film de Jean Girault, réalisateur classé par l'historien du cinéma Charles Ford parmi « les fournisseurs attitrés d'humour et les fabricants permanents de rire ». C'est à Jean Girault que l'on devait, entre autres, *Le Gendarme de Saint-Tropez*, incarné par Louis de Funès.

L'Année sainte racontait l'histoire, imaginée par Louis-Emile Galley, d'un vieux caïd, Max, qui purge en prison une peine de vingt ans dans la même cellule qu'un truand plus jeune, Pierre. Celui-ci le persuade de s'évader avec lui et de profiter de l'Année sainte et de ses facilités touristiques pour se rendre à Rome où le vieux a enterré un considérable magot au pied d'une chapelle. Déguisés en ecclésiastiques, l'un en évêque et l'autre en abbé secrétaire, ils prennent à Orly un avion à bord duquel les attendent bien des surprises : une rencontre embarrassante, celle d'une ex-maîtresse de Max, puis le détournement du Boeing sur Tanger par des pirates de l'air. S'ensuivaient une série de rebondissements divertissants et enjoués, s'achevant sur une surprise de taille.

Après ses rôles dramatiques du *Chat*, de *Dominici* ou de *Verdict*, il est évident que Gabin voulait se renouveler et étonner encore en choisissant de jouer une comédie, en adoptant un metteur en scène spécialisé dans le comique et en endossant un nouveau costume : la soutane d'un évêque en voyage.

Il avoua qu'il n'aurait pas accepté un rôle de vrai évêque. Antimilitariste et athée, il éprouvait cependant une sorte de respect pour les officiers et les ecclésiastiques et une répugnance un peu superstitieuse à jouer des personnages dans la peau desquels il se serait mal compris. Mais faire un faux évêque l'amusa.

Un autre de ses tabous, c'était l'avion. Des tas d'années avant, c'est en avion qu'il avait quitté le Maroc espagnol après le tournage de *La Bandera*, en compagnie de Julien Duvivier. Le voyage avait été éprouvant et, pendant trois jours, il avait souffert de bourdonnements d'oreille qui l'avaient dégoûté à jamais des transports aériens. Mais dans *L'Année sainte*, l'intérieur du Boeing serait reconstitué en studio, il n'aurait pas à voler et n'aurait affaire à un vrai avion que pour y prendre place et en sortir. Ça aussi, ça l'amusa.

Le tournage de *L'Année sainte* fut ainsi amusant, charmant, avec des notes attendrissantes : les retrouvailles avec sa partenaire féminine, Danielle Darrieux, ex-Bébé Donge, avec qui il n'avait plus travaillé depuis *Le Désordre et la Nuit* ; un coup de cœur amical et réciproque pour l' « abbé » Jean-Claude Brialy, ami de sa fille Florence ; et la présence de cette dernière sur le tournage, comme script-girl. C'est lui qui avait demandé à Girault d'engager sa fille, non pas par népotisme mais pour la raison que, depuis plusieurs mois, elle avait quitté sa famille pour vivre avec l'homme de sa vie.

Il s'appelait Christian de Asis-Trem. Il était gentleman-rider, état propre à séduire une Florence folle d'équitation et de chevaux mais incapable de nourrir son homme, selon Gabin. En conséquence de quoi, il s'opposait à ce que sa fille l'épousât. Bien qu'elle fût largement majeure, Florence tenait à l'approbation de son père, mais comme elle était volontaire, elle avait rejoint Christian et vivait avec lui à Chantilly pour prouver que son amour pour lui n'était pas en toc et qu'ils pouvaient subsister décemment sans demander un sou à personne. Intransigeant et assis sur ses positions, le père tenait bon, mais il souffrait dans sa tendresse et avait trouvé une solution pour avoir quand même sa fille auprès de lui — et tenter de la convaincre qu'elle faisait une bêtise, car il était, bien entendu, aussi volontaire qu'elle.

Il y eut d'autres péripéties dans ce tournage et il faut les narrer car on y retrouve tout Gabin : l'acteur soucieux de la clarté de l'histoire qui retint ses jeunes auteurs pendant trois jours à la Moncorgerie et ne les lâcha pas avant que le scénario ne fût parfaitement vissé ; le partenaire attentionné qui, malgré ses soixante-douze ans proches, s'habillait et se maquillait pour donner la réplique *off* à sa camarade Danielle ; le comédien traqueur comme un débutant, redoutant de demeurer physiquement seul — il supportait mal que Brialy le quittât entre les prises de vue — mais redoutant autant que fût fracturée la solitude intérieure de sa concentration.

Ce trait-là éclata bruyamment à Orly où le producteur avait eu l'idée — bien étrange pour qui connaît Gabin — d'organiser un déjeuner de gens du monde autour de sa vedette. Un déjeuner mondain un jour de travail, non mais ! Déjà qu'il n'aimait pas les déjeuners mondains les jours de loisir ! Il ne se priva pas de le leur faire savoir, au producteur et à ses invités, et si ceux-ci n'eurent pas le privilège de manger à la même table que lui, ils eurent celui d'assister à une de ses célèbres colères suivie d'une manifestation de bougonnerie caractérisée lorsqu'il s'assit seul, à l'écart, pour un repas succinct. Philosophe et forte de sa connaissance d'un homme qui était son mari depuis vingt-sept ans, Dominique Gabin présida l'autre table...

Elle avait de la patience et de la gaieté. Elle soutenait Florence dans sa lutte pour son bonheur et lui promettait qu'un jour tout s'arrangerait. Elle s'était toujours mise en tampon entre les exigences impétueuses du père et celles, naturelles et juvéniles, des enfants. C'est dans ces temps-là aussi que Valérie prit son envol — et envol est le mot exact. Pendant que la *Jeanne d'Arc* faisait le tour du monde, les familles des recrues pouvaient effectuer à prix étudié un voyage aérien leur permettant d'embrasser leur cher absent à une de ses escales. Dominique profita de cet avantage, mais pas son mari, pour la raison qu'on sait. Elle emmena Valérie qui, à Singapour, en toute simplicité, lui fit savoir qu'elle ne rentrerait pas en France. Elle voulait vivre sa vie, voir des amis, se documenter sur un sujet passionnant : le braconnage des tigres en Malaisie. Plus tard elle ferait de cette étude un excellent court métrage, *Ci-gisent*. En attendant, la mère et puis le père, informé par téléphone, furent plutôt estomaqués !

Ainsi passait 1976. *L'Année sainte* avait été tourné au début de l'année. En février, l'acteur avait reçu sur le plateau, des mains de M. Viot, directeur du Centre du cinéma, la croix d'officier de l'ordre du Mérite national, en présence de sa femme, de sa fille aînée, de ses camarades de tournage et de nombreux amis. Il en fut manifestement heureux, bien qu'il prétendît tenir davantage à ses décorations reçues à titre militaire. Le film sortit en avril et fut un succès, le meilleur film de Jean Girault selon plusieurs critiques, et la démonstration que Gabin pouvait jouer gaiement la comédie sans forcer sa nature.

Le même mois, le vieux lion accepta de présider la première distribution des Césars au palais des Congrès et remit les récompenses avec Michèle Morgan, sous les regards de douze millions de téléspectateurs.

En mai, Sergio Leone annonça au Festival de Cannes que Gabin tournerait dans son prochain film, *Il était une fois l'Amérique*, où il serait un vieil anar français émigré qui donne des leçons aux petits gangsters yankees des années 20-30. Interrogé par Robert Chazal, Gabin lui-même parla de ce projet, insistant naturellement sur le fait qu'il n'y adhérerait qu'à la condition d'aller aux Etats-Unis par mer.

Manifestement, il ne pensait plus à la retraite. Il y avait d'autres films dans l'air. Mais de *La Puissance et l'Argent*, on ne parlait plus. Marcel Carné raconte que le film ne se fit pas faute de finances, d'autres prétendent que l'acteur redoutait un affrontement de leurs deux mauvais caractères et recula pour cette raison son accord ferme. Quoi qu'il en soit, l'affaire se perdit dans les sables. Mais on parlait d'un nouvel Audiard, avec Jean Yanne aux côtés de Gabin, d'un autre film que réaliserait, pour ses débuts de metteur en scène, Jean-Claude Missiaen, naguère attaché de presse de l'acteur à plusieurs reprises.

L'événement du mois d'août fut le mariage de Florence bien que son père fût toujours contre cette union. Il trouvait que Christian était une grande gueule et un m'as-tu-vu, ce qui était une façon vraie — mais superficielle et toute passagère — de le décrire. Lino Ventura et Jean-Claude Brialy parmi d'autres avaient essayé cent fois de convaincre leur vieil ami des qualités réelles du jeune homme et de la sincérité de l'amour qui liait les fiancés. Il finit par céder et dit qu'il assisterait à la cérémonie. Au jour dit, il s'éveilla malade et ne put tenir la promesse qu'on lui avait arrachée. Mais Florence n'était pas seule. Elle était entourée d'amis, Lino Ventura était son témoin et sa mère et sa sœur étaient présentes à la mairie de Deauville où Michel d'Ornano unit les époux, ovationnés à leur sortie par une foule nombreuse et sympathique.

Elle était néanmoins attristée ; elle était sûre que la maladie paternelle n'était pas diplomatique — mais n'était-elle pas psychosomatique ? Il était dur pour son père d'accepter un gendre quel qu'il fût, dur de voir ses enfants s'évader du nid. Mathias, parfois, parlait de s'adonner à l'agriculture plutôt qu'à l'élevage. Si cette idée prenait corps, il ne pourrait y donner suite à la Moncorgerie, dont les terres ne se prêtaient pas à la culture... Ah ! les projets qu'il avait tant de fois refaits dans sa tête, qu'il avait exposés aux manifestants de 1962, leur expliquant où il ferait contruire les maisons de ses enfants, ces projets-là, qu'en restait-il ? L'homme propose, sa progéniture et la vie disposent. Mais est-ce pour cela qu'il faut s'arrêter de *songer* ?

Soit, la Moncorgerie était, de toutes ses acquisitions, de tous ses domiciles, le bien auquel il était resté le plus longtemps attaché, celui qui avait été son idée fixe. Il avait beaucoup misé sur elle, son argent, son temps et son imagination. Maintenant, elle avait pris une forme définitive et parfaite — et s'était vidée de son sens, il ne pouvait le nier.

Sa réaction à ces considérations ne surprendra que ceux qui le connaissaient mal. Il gambergea et dit à Dominique :

— Et si on s'en allait ? Si on vendait et si on envisageait autre chose ?

Dominique acquiesça ; elle avait l'habitude des volte-face de Jean, du changement, des déménagements. Elle se réjouissait de l'indéracinable côté bohème de son époux : dans aucune des demeures qu'elle avait partagées avec lui, elle n'avait jamais eu l'occasion de voir se faner meubles et rideaux sous le poids des ans, de ressentir et de mesurer le temps qui passe à l'usure du décor — et ça lui plaisait, c'était ça la vie et la jeunesse du cœur. Aussi bien la maison était-elle trop grande pour eux deux ; l'exploitation pesait lourd, il n'était pas sûr qu'elle pût subsister sans l'apport de l'argent du cinéma ; et quant aux enfants, fallait-il ajouter aux soucis que leur posait leur propre existence celui d'un partage difficile et peut-être orageux ? Il fallait vendre, c'était l'évidence même.

Le 3 octobre, les époux Moncorgé se rendirent chez leur notaire et lui demandèrent de chercher un acquéreur pour leur propriété, non pas la mort dans l'âme, mais dans l'enthousiasme des recommencements, l'excitation des projets...

Et puis, le mois suivant, le jeudi 11, la mort frappa à la porte de leur appartement parisien de l'avenue Raymond-Poincaré. Elle frappa discrètement, sous les apparences bénignes d'une grippe que l'homme traita par le mépris, à son habitude. Il n'avait jamais pris soin de sa santé. Grand fumeur, gros mangeur, solide buveur, il se refusait aux restrictions, aux régimes, renâclait devant les remèdes. Il décommanda un dîner amical qui devait avoir lieu le lendemain chez Ledoyen et au cours duquel il devait recevoir des mains de l'amiral Gélinet, qui était resté son ami après avoir été son chef à la guerre, les insignes d'officier de la Légion d'honneur — il avait été parmi les promus du 14 juillet précédent —

mais il refusa de voir un docteur et de se soigner autrement qu'à son idée.

Le samedi soir, cependant, Dominique dut passer outre à sa volonté parce qu'il se mit subitement à étouffer. Le médecin qu'elle appela connaissait Gabin pour l'avoir soigné quelques années avant pour de l'hypertension. Il lui donna des premiers soins qui le soulagèrent et le fit transporter pour plus de prudence à l'hôpital américain de Neuilly.

Le malade passa un dimanche calme en compagnie de son épouse, qui rentra chez elle le soir tout à fait rassurée par le diagnostic du médecin. Elle fut réveillée aux premières lueurs du jour par un coup de téléphone : Jean Gabin venait de mourir, d'une crise cardiaque.

Un an plus tôt, jour pour jour, il avait embrassé Mathias sur le pont de la *Jeanne d'Arc* devant la télévision. Sa dernière année, il l'avait vécue comme toujours dans la plénitude de son existence d'acteur et de père de famille, avec des joies, des contrariétés, des colères, des fêtes d'amitié, le souci du travail bien fait et des projets plein la tête. C'était la seule consolation des siens et de ses amis effondrés : il n'avait pas connu de déclin, il n'avait pas cessé de se préparer de nouvelles aventures — de ces aventures qu'étaient ses films, ses accès de bougeotte, son besoin de bâtir. Il n'avait pas démérité de sa personne ni de sa profession. Son entourage, le cinéma, son pays même, allaient mesurer les dimensions de l'homme et de l'acteur par le vide subit qu'il laissait. Ce fut visible dès ses funérailles.

Tous ses intimes savaient qu'il désirait se faire incinérer, et que ses cendres fussent dispersées dans la mer. Pudique jusqu'au bout, individualiste et désabusé de bien des choses, il ne voulait pas laisser de tombe, pas de monument que l'on pût adorer, négliger ou profaner selon la faveur future qui lui serait accordée.

Mais, pendant le court moment où il eut encore son enveloppe charnelle, la ferveur de ses admirateurs se manifesta avec intensité. Dès le matin du vendredi 17, il y avait des fidèles qui se groupaient au pied du columbarium du Père-Lachaise. L'après-midi, ils étaient plusieurs dizaines de milliers lorsque le corbillard pénétra dans le cimetière. La famille, avec l'amiral Gélinet et le cher Gilles Grangier qui s'était occupé de tout comme un frère et soutenait fraternellement Dominique et ses enfants déboussolés et éplorés — ceux-là s'étaient rassemblés dans un petit salon du crématorium.

Le cercueil, lui, fut exposé, recouvert d'une draperie grise, sur un catafalque. Deux drapeaux cravatés de noir étaient tenus par un ancien de la 2ᵉ D.B. et un ancien fusilier-marin. Les décorations de l'acteur, sa croix de guerre, sa médaille militaire et sa Légion d'honneur étaient exposées sur un coussin. Des registres placés sous guérites flanquaient la bière de chaque côté de la porte du crématorium, prêts à recevoir les signatures.

Et les gens commencèrent à défiler, lentement, s'efforçant de poser une fleur, un bouquet et de s'attarder un moment de plus, puis se poussant, se bousculant en désordre, avec l'adoration mêlée d'agressivité possessive des fans de tout âge et de toute condition, foule qui n'avait que deux heures au plus pour se manifester et qui devenait turbulente. Elle ne cessa pas de l'être lorsque, le moment de l'incinération étant venu, la bière fut emportée. La presse du lendemain souligna l'aspect indécent de cette ruée désordonnée — et l'indécence accompagne certes toujours ces cérémonies funèbres spontanées — mais, pour Dominique Gabin, pour Mathias et Florence qui la soutenaient, comptaient davantage l'élan et l'amour qu'elle traduisait.

Ils étaient comme le disparu, pudiques et hostiles aux excès de publicité, mais ce qui se passait, confirmé par la teneur et le ton des innombrables lettres qu'ils reçurent, leur allait droit au cœur et les bouleversait : Jean était aimé, regretté par des milliers de gens qui avaient vu en lui un ami, un reflet, un porte-parole ou un interlocuteur — et cela aussi leur était consolation. Cinq ans plus tard, dans une émission *Les Dossiers de l'écran* à lui consacrée, il en serait de même lorsque les téléspectateurs délivreraient leurs messages téléphonés : « Je l'aimais, j'aurais voulu l'avoir pour père, pour frère, pour ami, pour mari... », diraient les gens, tout simplement.

Le vendredi 19 novembre eut lieu la dispersion des cendres. La marine nationale, grâce aux démarches de l'amiral Gélinet et à l'autorisation de Valéry Giscard d'Estaing, mit l'escorteur *Détroyat* à la disposition de la famille. L'urne fut jetée dans la mer d'Iroise, à vingt

198

milles de Brest, devant l'équipage tête nue et au garde-à-vous ; puis c'est Florence qui lança un bouquet de violettes, et ce fut tout. Il n'y avait pas de curieux, pas de journalistes, rien que les marins et neuf personnes qui le touchaient de près, lui envoyaient un adieu muet et se préparaient, le cœur serré, à vivre sans lui.

FIN

FILMOGRAPHIE

1930

Chacun sa chance
Méphisto

1931

Paris Béguin
Tout ça ne vaut pas l'amour
Cœur de Lilas
Pour un soir
Cœurs joyeux

1932

Gloria
Les Gaîtés de l'escadron
La Belle Marinière
La foule hurle

1933

L'Etoile de Valencia
Adieu les beaux jours
Le Tunnel
De haut en bas

1934

Zouzou
Maria Chapdelaine
Golgotha

1935

La Bandera
Variétés

1936

La Belle Equipe
Les Bas-fonds
Pépé-le-Moko

1937

La Grande Illusion
Le Messager
Gueule d'amour

1938

Quai des brumes
La Bête humaine

1939

Le Récif de corail
Le Jour se lève
Remorques

1942

Moontide (La Péniche de l'amour)

1943

The Impostor (L'Imposteur)

1946

Martin Roumagnac

1947

Miroir

202

1948

Au-delà des grilles

1949

La Marie du port

1950

Pour l'amour du ciel

1951

Victor
La Nuit est mon royaume
Le Plaisir
La Vérité sur Bébé Donge

1952

La Minute de vérité
Fille dangereuse

1953

Leur dernière nuit
La Vierge du Rhin
Touchez pas au grisbi

1954

L'Air de Paris
Napoléon
Le Port du désir
French Cancan
Razzia sur la schnouf

1955

Chiens perdus sans collier
Gas-oil
Des gens sans importance
Voici le temps des assassins

1956

Le Sang à la tête
La Traversée de Paris
Crime et Châtiment
Le Cas du docteur Laurent

1957

Le Rouge est mis
Maigret tend un piège
Les Misérables
Le Désordre et la Nuit

1958

En cas de malheur
Les Grandes Familles
Archimède le clochard

1959

Maigret et l'affaire Saint-Fiacre
Rue des Prairies

1960

Le Baron de l'écluse
Les Vieux de la vieille

1961

Le Président
Le Cave se rebiffe

1962

Un singe en hiver
Le Gentleman d'Epsom

1963

Mélodie en sous-sol
Maigret voit rouge

1964

Monsieur
L'Age ingrat

1965

Le Tonnerre de Dieu
Du Rififi à Paname

1966

Le Jardinier d'Argenteuil

1967

Le Soleil des voyous
Le Pacha

1968

Le Tatoué

1969

Sous le signe du taureau
Le Clan des Siciliens

1970

La Horse

1971

Le Chat
Le drapeau noir flotte sur la marmite

1972

Le Tueur

1973

L'Affaire Dominici
Deux hommes dans la ville

1974

Verdict

1976

L'Année sainte

BIBLIOGRAPHIE

Jean-Pierre AUMONT, *Le Soleil et les Ombres*.

Jean-Michel BETTI, *Salut, Gabin,* Trévise-Ramsay.

Marcel BLEUSTEIN-BLANCHET, *La Rage de convaincre,* Robert Laffont.

Marcel CARNÉ, *La Vie à belles dents,* Jean Vuarnet.

Raymond CASTANS, *Fernandel m'a raconté,* La Table Ronde.

Maurice CHEVALIER, *Londres-Hollywood-Paris,* Julliard.

Marcel DALIO, *Mes années folles,* J.-C. Lattès.

Michel DEBATISSE, *La Révolution silencieuse,* Calmann-Lévy.

Charles FORD, *Histoire du cinéma français contemporain,* France-Empire.

Daniel GÉLIN, *Deux ou trois vies qui sont les miennes,* Julliard.

Gilles GRANGIER, *Flash-Back,* Presses de la Cité.

Charles HIGHAM, *Marlène, la vie d'une star,* Calmann-Lévy.

JACQUES-CHARLES, *La Revue de ma vie*.

René JEANNE et Charles FORD, *Histoire du cinéma,* Robert Laffont.

J.-C. MESSIAEN et J. SICLIER, *Jean Gabin,* Henri Veyrier.

MISTINGUETT, *Toute ma vie*, Julliard.
Michèle MORGAN, *Avec ces yeux-là*, Robert Laffont.
Jean RENOIR, *Ecrits 1926-1971*, Belfond.
Françoise ROSAY, *La Traversée d'une vie*, Robert Laffont.
Jean SABLON, *De France ou bien d'ailleurs*, Robert Laffont.
Georges SADOUL, *Histoire du cinéma français*, Flammarion.
Simone SIGNORET, *La nostalgie n'est plus ce qu'elle était*, Editions du Seuil.
Georges TABET, *Vivre deux fois*, Robert Laffont.
VADIM, *Mémoires du diable*, Stock.
Les dossiers de presse du Fonds Rondel à la bibliothèque de l'Arsenal.

REMERCIEMENTS

Je remercie chaleureusement Mme Jean Gabin et sa fille Florence de Asis-Trem, Mmes Gaby Basset, Micheline Bonnet, Gilberte Refoulé, MM. Michel Audiard, André Bernheim, Marcel Bleustein-Blanchet, Alphonse Boudard, Jean Delannoy, Gilles Grangier, Pierre Granier-Deferre, Jean Sablon et André Tabet, qui ont bien voulu m'accorder des entretiens ; et Mme Geneviève Chastenet qui a réuni les documents photographiques illustrant ce livre.

Achevé d'imprimer
en avril mil neuf cent quatre-vingt-trois
sur les presses de l'Imprimerie Gagné Ltée
Louiseville - Montréal.
Imprimé au Canada